АЗБУКА
БЕСТСЕЛЛЕР

Милан Кундера

ТОРЖЕСТВО
НЕЗНАЧИТЕЛЬНОСТИ

Роман

АЗБУКА

Санкт-Петербург
2016

УДК 821.133.1
ББК 84(4Фра)-44
К 91

Milan Kundera
LA FÊTE DE L'INSIGNIFIANCE
Copyright © 2013, Milan Kundera

Перевод с французского Аллы Смирновой

Серийное оформление и оформление обложки
Вадима Пожидаева

В оформлении книги использованы рисунки автора.

Кундера М.

К 91   Торжество незначительности : роман /
Милан Кундера ; пер. с фр. А. Смирновой. —
СПб. : Азбука, Азбука-Аттикус, 2016. —
160 с. — (Азбука-бестселлер).
ISBN 978-5-389-10784-7

Милан Кундера принадлежит к числу самых популярных писателей современности. Его книги буквально завораживают читателя изысканностью стиля,
умелым построением сюжета, накалом чувств у героев. Каждое новое произведение писателя пополняет
ряд бестселлеров интеллектуальной прозы.

Кундера возвращается! Читайте долгожданный
роман «Торжество незначительности», где автор, прикрываясь обманчивой легкостью и шутливым тоном,
рассуждает о невыносимой абсурдности бытия.

УДК 821.133.1
ББК 84(4Фра)-44

ISBN 978-5-389-10784-7

Оглавление

ОГЛАВЛЕНИЕ

ОГЛАВЛЕНИЕ

Часть первая

ПРЕДСТАВЛЕНИЕ ГЕРОЕВ

Ален размышляет о пупке

Стоял июнь, утреннее солнце выходило из-за облаков, и Ален медленно шагал по парижской улице. Он разглядывал юных девушек, они демонстрировали свои оголенные пупки между заниженным поясом брюк и завышенной линией топиков. Он был заворожен, заворожен и смущен: как будто самый мощный импульс соблазна исходил не от бедер, не от ягодиц или груди, а от этой маленькой круглой ямочки посреди тела.

Это подвигло его на размышления: если средоточие женской соблазнительности мужчина (или эпоха) видит в бедрах, как описать и определить особенность этой эротической установки? Экспромтом родился ответ: длина бедер — это метафорический образ дороги, долгой и пленительной (вот почему бедра должны быть длинными), которая ведет к эротическому финалу; в самом деле, подумал Ален, даже в самый разгар совокупления длинные бедра даруют женщине эротическое очарование чего-то недоступного.

Если средоточие женской соблазнительности мужчина (или эпоха) видит в ягодицах, как описать и определить особенность этой эротической установки? Экспромтом родился ответ: грубая мощь; веселье; самая короткая дорога к цели; а цель возбуждает еще больше, потому что двойная.

Если средоточие женской соблазнительности мужчина (или эпоха) видит в груди, как описать и определить особенность этой эротической установки? Экспромтом родился ответ: святость женщины; Дева Мария, кормящая грудью Иисуса; мужчина, преклоненный перед благородной миссией женщины.

Но как определить эротизм мужчины (или эпохи), который средоточие женской соблазнительности видит посреди тела, в пупке?

Рамон прогуливается по Люксембургскому саду

Приблизительно в то же самое время, когда Ален предавался размышлениям о различных истоках женской соблазнительности, Рамон стоял перед музеем в Люксембургском саду, где вот уже месяц выставлялись картины Шагала. Ему хотелось их посмотреть, но он заранее знал, что не найдет в себе сил по собственной воле превратиться в частицу нескончаемой очереди, что медленно тащилась к кассе; он посмотрел на этих людей, их парализованные скукой лица, представил себе музейные залы, в которых их туловища и болтовня будут загораживать и заглушать картины, через минуту отвернулся и направился по аллее вглубь сада.

Там атмосфера была повеселее; род человеческий казался не таким многочисленным и держался свободнее: кто-то бежал, но не потому, что спешил, а просто ему нра-

вилось бежать; кто-то прогуливался и ел
мороженое; на газоне последователи какого-то восточного учения делали странные
плавные движения; чуть дальше полукругом стояли большие белые статуи королев и
прочих благородных дам Франции, а еще
дальше, на газоне среди деревьев, по всему
саду, — скульптуры поэтов, художников,
ученых; он остановился перед бронзовой
статуей соблазнительного подростка в обтя-
гивающих шортах и с обнаженным торсом,
который предлагал маски Бальзака, Бер-
лиоза, Гюго, Дюма. Рамон не смог сдержать
улыбки и продолжил фланировать по этому
саду гениев; скромные, в обрамлении лю-
безного равнодушия гуляющих, они, должно
быть, чувствовали приятную свободу; никто не останавливался, чтобы рассмотреть
их лица или прочесть надписи на пьедесталах. Рамон упивался этим безразличием,
словно утешительным покоем. Постепенно
широкая, почти счастливая улыбка появилась у него на лице.

Рак отменяется

Приблизительно в то же самое время, когда Рамон передумал идти на выставку Шагала и вместо этого отправился бродить по парку, Д'Ардело поднимался по лестнице, ведущей в кабинет врача. Сегодня было ровно три недели до его дня рождения. Уже много лет он ненавидел их, свои дни рождения. Из-за цифр, которые за ними стояли. Однако игнорировать их не удавалось, поскольку счастье оттого, что его чествовали, было сильнее стыда оттого, что он старел. Тем более что на этот раз посещение врача прибавляло этому празднику новые краски. Ведь именно сегодня ему предстояло получить результаты анализов и узнать, о чем свидетельствуют подозрительные симптомы в его организме: это онкология или все-таки нет. Он вошел в приемную и дрожащим голосом проговорил про себя, что через три недели будет отмечать одновременно и день своего такого далекого рождения, и день своей такой близкой смерти, то есть праздновать двойной праздник.

Но, увидев улыбающееся лицо врача, он понял, что смерть решила отклонить его приглашение. Доктор дружески пожал ему руку. Со слезами на глазах Д'Ардело не смог произнести ни слова.

Медицинский кабинет находился на авеню Обсерватуар, в каких-нибудь паре сотен метров от Люксембургского сада. Поскольку Д'Ардело жил как раз по ту сторону сада, на маленькой улочке, он решил идти через сад. Прогулка среди зелени сделала его и без того прекрасное настроение почти веселым, особенно когда он огибал большое полукружье статуй бывших королей Франции, изваянных из белого мрамора, в полный рост, в торжественных позах, показавшихся ему забавными и даже игривыми, словно эти дамы хотели таким образом выразить свою радость по поводу прекрасной новости, которую он только что узнал. Не в силах совладать с собой, он пару раз махнул им рукой в знак приветствия и рассмеялся.

Тайное очарование
тяжелой болезни

Где-то там, неподалеку от знатных мраморных дам, Рамон встретился с Д'Ардело, с которым всего лишь год назад они работали в одной конторе, ее название не представляет для нас никакого интереса. Они остановились друг против друга, и после обычных приветствий Д'Ардело стал рассказывать:

— Дружище, вы знаете Ла Франк? Пару дней назад у нее умер любовник.

Он сделал паузу, и в памяти Рамона возникло прекрасное лицо известной женщины, которую он знал только по фотографиям.

— Агония была мучительной, — продолжал Д'Ардело. — Она до последнего оставалась с ним. О, как она страдала!

Рамон, словно завороженный, смотрел на радостное лицо того, кто рассказывал ему эту мрачную историю.

— Представьте себе, еще утром она держала умирающего в объятиях, а вечером ужинала с друзьями, я тоже там был, и вы не поверите, она казалась почти веселой! Я ею восхищался! Какая сила! Какая любовь к жизни! Глаза еще красные от слез, а она смеется! А ведь мы все знаем, как она его любила! Как она, должно быть, страдала! Какая сила у этой женщины!

Как и четверть часа назад в кабинете врача, на глазах Д'Ардело заблестели слезы. Ведь когда он говорил о силе духа этой самой Ла Франк, то думал о себе. Разве он сам весь этот месяц не ощущал близкого дыхания смерти? Разве твердость его характера не подверглась тяжелому испытанию? Даже сделавшись простым воспоминанием, рак оставался с ним, словно свет слабой лампочки, который загадочным образом завораживал его. Но ему удалось совладать со своими чувствами, и он заговорил на более прозаическую тему:

— Кстати, если я не ошибаюсь, вы ведь знаете кого-то, кто умеет организовывать коктейли, жратву, всякое такое.

— Знаю, — ответил Рамон.

Д'Ардело:

— Я хочу отпраздновать свой день рождения.

После трогательных рассказов о небезызвестной Ла Франк последняя фраза показалась Рамону довольно легкомысленной, и он не смог сдержать улыбки:

— Вижу, веселая у вас жизнь.

Странно, но эта фраза Д'Ардело не понравилась. Легкомысленный тон словно разрушал своеобразную красоту его хорошего настроения, красоту, осененную магическим пафосом смерти, воспоминание о которой по-прежнему не покидало его.

— Да, — сказал он, — в целом все неплохо, — а затем, выдержав паузу, добавил: — Хотя...

И после новой паузы:

— Знаете, я только что от своего врача.

Замешательство на лице собеседника ему понравилось; он не торопился продолжать, так что Рамон вынужден был спросить:

— И что? Есть проблемы?

— Есть.

Д'Ардело вновь замолчал, и Рамону ничего не оставалось, как снова спросить самому:

— И что вам сказал врач?

19

В этот самый момент в глазах Рамона Д'Ардело, как в зеркале, увидел свое лицо: лицо человека пожилого, но все еще красивого, с печатью грусти, которая делала его еще более привлекательным; он подумал, что этот красивый грустный человек вскоре отметит свой день рождения, и мысль, которую он лелеял с самого визита к врачу, вновь пришла ему в голову, восхитительная мысль о двойном празднике: рождения и смерти. Продолжая рассматривать себя в глазах Рамона, он спокойно и очень тихо произнес:

— Рак...

Рамон что-то пробормотал и неловко, по-братски, коснулся руки Д'Ардело:

— Но это лечится...

— Увы, слишком поздно. Но забудьте, что я вам сказал, и никому об этом не говорите; подумайте лучше о моем коктейле. Надо жить! — воскликнул Д'Ардело и, прежде чем продолжить путь, махнул рукой в знак приветствия, и этот сдержанный, почти робкий жест был таким неожиданным, что Рамон смутился.

Необъяснимая ложь,
необъяснимый смех

Встреча двух бывших коллег этим красивым жестом и закончилась. Но я не могу не задать вопрос: почему Д'Ардело солгал?

Этот вопрос он задал себе сам сразу же и тоже не смог на него ответить. Нет, ему не было стыдно из-за своей лжи. Просто он не мог понять, почему сделал это. Обычно лгут для того, чтобы кого-то обмануть и извлечь из этого выгоду. Но какую выгоду мог он извлечь, выдумав себе смертельную болезнь? Странно, но, размышляя о нелепости собственной лжи, он не мог удержаться от смеха. И этот смех объяснить было тоже невозможно. Почему он смеется? Его поведение казалось ему смешным? Нет. Впрочем, чувство юмора не было его сильной стороной. Просто этот выдуманный рак непонятно почему его веселил. Не переставая смеяться, он продолжал путь. Он смеялся и радовался своему хорошему настроению.

21

Рамон в гостях у Шарля

Через час после встречи с Д'Ардело Рамон был уже у Шарля.

— У меня для тебя подарок: заказ на коктейль, — сказал он.

— Здорово! В этом году с работой не очень, — сказал Шарль, приглашая приятеля сесть напротив него за низкий столик.

— Считай, это мой подарок тебе. И Калибану. Кстати, где он?

— Где ему быть? Дома, с женой.

— А я думал, коктейли вы обслуживаете вместе.

— Ну да. Театрам по-прежнему на него плевать.

Тут Рамон заметил на столике довольно толстую книгу. Он наклонился и не смог скрыть удивления: «Воспоминания» Никиты Хрущева.

— Это наш учитель мне дал.

— И что он там мог найти интересного?

— Он отметил для меня несколько абзацев. То, что я прочел, довольно забавно.

— Забавно?

— История о двадцати четырех куропатках.

— Что?

— История о двадцати четырех куропатках. Не слышал? А ведь с нее начались великие перемены в мире!

— Великие перемены в мире? Ни больше ни меньше?

— Ни больше ни меньше. Ну ладно, что за коктейль, у кого?

Рамон объяснил ему, и Шарль спросил:

— А кто этот Д'Ардело? Придурок, как все мои клиенты?

— Ну конечно.

— А его идиотизм какого рода?

— Какого рода его идиотизм... — задумчиво повторил Рамон. Затем спросил: — Ты Каклика знаешь?

Лекция Рамона о блестящем и незначительном

— Мой старинный приятель Каклик, — продолжал Рамон, — один из самых выдающихся бабников, каких я когда-либо встречал. Однажды меня пригласили на вечеринку, где оказались он и Д'Ардело. Друг с другом они знакомы не были. В одной гостиной встретились совершенно случайно. Наверное, Д'Ардело даже и не заметил моего приятеля. Там были очень красивые женщины, а Д'Ардело, как известно, от них без ума. Он готов на что угодно, лишь бы привлечь их внимание. В тот вечер это был просто фейерверк остроумия.

— Что-то неприличное?

— Наоборот. Шутки у него вполне приличные, благопристойные, оптимистические и в то же время такие изящные, утонченные, изысканные, они всегда привлекают внимание, хотя люди реагируют на них далеко не сразу. Это целое действо: сначала несколько секунд все молчат, и он сам начинает громко хохотать, потом еще через пару секунд до присутствующих тоже доходит, и они вежливо к нему присоединяются. И тут, когда смеяться начинают уже все — оцени, какой изящный ход! — он становится серьезным, совершенно бесстрастным, таким пресыщенным скептиком и, преисполненный тайного тщеславия, забавляется их смехом. А Каклик совершенно другой. Нет, он не молчит. Когда он в компании, то все время что-то бормочет своим слабым голоском, шелестит, а не разговаривает, и никто на его слова не обращает внимания.

Шарль рассмеялся.

— Не смейся. Говорить, не привлекая внимания, не так-то просто! Присутствовать, так сказать, вербально и чтобы при этом никто тебя не слышал — это, знаешь ли, требует мастерства!

— Вот только смысл этого самого мастерства до меня не доходит.

— Молчание привлекает внимание. Оно производит впечатление. Делает тебя загадочным. Или вызывает подозрение. Этого Каклик и хочет избежать. Как на той самой вечеринке, о которой я тебе рассказываю. Была там одна очень красивая особа, Д'Ардело она очаровала. Каклик периодически обращался к ней, произносил какую-нибудь банальность, пустяк, что-то совсем неинтересное, хотя и приятное, зато его реплики не требовали вразумительного ответа, претензий на остроумие, ничего такого. Какое-то время спустя я вдруг понял, что Каклика в комнате нет. Мне стало любопытно, я начал наблюдать за дамой. А Д'Ардело только что выдал очередную остроту, за которой последовало молчание, затем сам рассмеялся и еще через пару секунд к нему присоединились остальные. В этот самый момент, словно укрывшись за пеленой смеха, женщина направилась к выходу. Д'Ардело, довольный успехом остроты, упивается своим вербальным эксгибиционизмом. А чуть позже замечает, что красавицы-то рядом нет. И поскольку ничего не знает о присутствии здесь какого-то там Каклика, не может объяснить себе причину ее исчезновения. Он так ничего не понял и до сих пор не понимает, какая ценная вещь эта незначительность. Это тебе мой ответ на вопрос, какого рода его идиотизм.

— Да, понимаю, блестящим быть бесполезно.

— Не просто бесполезно. Вредно. Когда какой-нибудь блестящий мужчина пытается соблазнить женщину, у той появляется ощущение, будто она вступает в сорев-
нование. И тоже обязана блистать, чтобы
не отдаваться без сопротивления. А незначительность ее как будто освобождает. За-
ставляет забыть об осторожности. Не требует ответного остроумия. Делает ее беззa-
ботной и, следовательно, легкодоступной.
Ну да ладно. Что же касается Д'Ардело, то
это отнюдь не ничтожество, он Нарцисс.
Причем в точном смысле этого слова: ведь
Нарцисс — это не гордец. Гордец презирает
других. Он их недооценивает. А Нарцисс,
напротив, их переоценивает, потому что в
глазах каждого видит собственное отраже-
ние и хочет его приукрасить. И старательно
пестует свои образы. Вот что для вас обоих
важно: он очень мил. По мне, так он, конечно, сноб. Хотя мое отношение к нему
изменилось. Я узнал, что он серьезно болен.
И с тех пор смотрю на него другими глазами.

— Болен? Чем?

27

— Рак. Я даже удивился, до какой степени меня огорчило это известие. Возможно, это его последние месяцы жизни.

И потом, после паузы:

— Меня тронуло, как он мне об этом сказал... очень просто, даже застенчиво... без пафоса, безо всякого нарциссизма. И я вдруг впервые почувствовал к этому дураку искреннюю симпатию... искреннюю симпатию.

Часть вторая

КУКОЛЬНЫЙ ТЕАТР

Двадцать четыре куропатки

В конце долгого, утомительного дня Сталин любил еще какое-то время посидеть со своими соратниками и отдохнуть, рассказывая им истории из своей жизни. Вот такую, например.

Однажды он решает пойти на охоту. Натягивает старую куртку, надевает лыжи, берет ружье и бежит по снегу тринадцать верст. И вот прямо перед собой он видит дерево, а на ветках сидят куропатки. Он останавливается и пересчитывает их. Двадцать четыре. Какая досада! У него с собой только двенадцать патронов! Он стреляет, убивает двенадцать куропаток, потом разворачивается, бежит обратно тринадцать верст, и дома берет еще дюжину патронов. Снова бежит тринадцать верст и видит, что куропатки по-прежнему сидят на том же дереве. Тогда он убивает остальных...

— Ну как тебе? — спросил Шарль у Калибана, а тот рассмеялся:

— Если бы сам Сталин мне это рассказал, я бы ему поаплодировал! А ты откуда взял эту историю?

— Учитель подарил мне «Воспоминания» Хрущева, книга издана во Франции уже очень давно. Хрущев излагает эту историю с куропатками так, как Сталин рассказывал им. Но, по словам Хрущева, никто не отреагировал, как ты. Никто не смеялся. Всем, разумеется, рассказ Сталина показался абсурдным, и было противно от его вранья. Но все молчали, и только один Хрущев набрался смелости и сказал Сталину, что он об этом думает. Слушай!

Шарль открыл книгу и медленно прочел вслух: «Тут я его даже переспросил: „Как, все-все сидят?" — „Да, — отвечает, — все"».

Но история на этом не закончилась, да будет тебе известно, что в конце дня все собирались в просторной туалетной комнате. Представь себе: на стене длинный ряд писсуаров, на противоположной стене умывальники. Писсуары фаянсовые, в форме ракушек, яркие, с цветочными орнаментами. У каждого члена сталинского клана собственный писсуар, сделанный и подписанный определенным мастером. Только у Сталина не было.

— А где же тогда писал Сталин?

— В отдельном туалете, в другой части здания; а поскольку он всегда писал в одиночестве, а не со своими сотрудниками, те в своем туалете чувствовали себя божественно свободными и осмеливались наконец сказать вслух то, о чем вынуждены были молчать в присутствии Главного. Как и в тот день, когда Сталин поведал историю про двадцать четыре куропатки. Опять процитирую тебе Хрущева: «Когда уходили и, готовясь уехать, заходили в туалет, то там буквально плевались: ⟨...⟩ „Ну, брешет!" У нас ни у кого не было сомнения в этом».

— А Хрущев — это кто?

— После смерти Сталина он стал главой советской империи.

Помолчав, Калибан произнес:

— Знаешь, что мне кажется невероятным во всей этой истории: никто так и не понял, что Сталин шутит.

— Ну да, — ответил Шарль и положил книгу на стол. — Ведь никто рядом с ним уже не знал, что такое шутка. И мне кажется, именно тогда новый великий период Истории известил о своем появлении.

Шарль мечтает о пьесе
для кукольного театра

В моем словаре нечестивца есть одно святое слово: дружба. Я люблю их, этих четверых приятелей, с которыми вас познакомил: Ален, Рамон, Шарль и Калибан. Именно из симпатии к ним я и принес однажды книгу Хрущева Шарлю, чтобы все они позабавились.

Им четверым была уже известна история о двадцати четырех куропатках, вплоть до ее великолепного финала в туалете, и вот однажды Ален пожаловался Шарлю:

— «Я встретил твою Мадлен. Рассказал ей историю о куропатках. А для нее это всего лишь странный анекдот про охотника! Может быть, имя Сталина ей и знакомо, но она не поняла, почему охотника так зовут...

— Ей всего лишь двадцать, — мягко ответил Ален, защищая свою подружку.

— Если я ничего не путаю, — вмешался Шарль, — твоя Мадлен родилась через каких-нибудь сорок лет после смерти Сталина. Я, прежде чем родиться, должен был выждать семнадцать лет после его смерти. А тебе, Рамон, когда Сталин умер... — Он замолчал, делая в уме какие-то подсчеты, затем в некотором замешательстве произнес: — Боже мой! Ты тогда уже родился!

— Мне стыдно, но так оно и есть.

— Если я не ошибаюсь, — продолжал Шарль, по-прежнему обращаясь к Рамону, — твой дед в числе прочих представителей интеллигенции подписал петицию в защиту Сталина, великого деятеля прогресса.

— Да, — вынужден был признаться Рамон.

— Думаю, твой отец уже испытывал по отношению к нему некоторый скептицизм, в твоем поколении скептицизма было больше, а для моего он стал главным преступником.

— Ну да, — согласился Рамон. — Люди встречаются, болтают, спорят, ссорятся и даже не понимают, что обращаются друг к другу издалека, каждый из своего наблюдательного пункта, расположенного в другой временнóй точке.

Помолчав, Шарль ответил:

— Время бежит быстро. Мы проживаем жизнь, а это значит, нас обвиняют и судят. Потом умираем и еще несколько лет остаемся с теми, кто нас знал, но довольно скоро происходят другие перемены: мертвые, как и время, становятся «давнопрошедшими», о них больше никто не вспоминает, и они погружаются в небытие; и только некоторые, очень-очень редко, оставляют свои имена в памяти, да и то, в отсутствие настоящих свидетелей и подлинных воспоминаний, они превращаются в марионеток... Друзья мои, я просто очарован этой историей Хрущева в «Воспоминаниях» и не могу избавиться от желания сделать из нее пьесу для кукольного театра.

— Для кукольного театра? А почему не для «Комеди Франсез?» — поддел его Калибан.

— Нет, — ответил Шарль, — если бы эту историю со Сталиным и Хрущевым разыграли люди, это был бы обман. Никто не имеет права притворяться и воссоздавать жизнь человека, которого давно уже нет. Никто не имеет права делать из куклы человека.

Бунт в туалете

—Эти товарищи Сталина меня восхищают, — продолжал Шарль. — Я представляю, как они возмущаются в туалете! Они так долго ждали момента, когда можно будет наконец высказать вслух свои мысли. Но кое о чем они не подозревали: Сталин за ними наблюдал и ждал этого момента с неменьшим нетерпением! Когда вся его банда отправлялась в туалет, он предвкушал удовольствие! Друзья мои, я это вижу! Осторожно, на цыпочках, он крадется по длинному коридору, прикладывает ухо к двери туалета и слушает. А эти герои, члены политбюро, кричат, топают ногами, проклинают его, а он все слышит и смеется. «Он брешет, брешет!» — вопит Хрущев, голос звенит, а Сталин, припав ухом к двери — я так и вижу его, вижу, — Сталин наслаждается этим возмущением, хохочет как ненормальный и даже не пытается сдержать смех, потому что те, которые сейчас в туалете, тоже вопят как ненормальные и все равно не могут его расслышать в этом гомоне.

— Да, ты нам уже рассказывал, — сказал Ален.

— Знаю. Но самое важное, то есть настоящую причину, по которой Сталин так любил повторять одну и ту же историю о двадцати четырех куропатках в одной и той же компании, этой причины я вам еще не сказал. А в ней-то и есть главная интрига моей пьесы.

— И что это за причина?

— Калинин.

— Что? — переспросил Калибан.

— Калинин.

— Никогда не слышал этого имени.

А вот Ален, хотя и моложе Калибана, но более образованный, знал, кто это:

— В честь него переименовали знаменитый немецкий город, в котором всю жизнь прожил Иммануил Кант, сейчас он называется Калининград.

Тут с улицы раздался громкий, нетерпеливый звук клаксона.

— Пора, — сказал Ален. — Меня ждет Мадлен. До скорого!

Мадлен ждала его на улице, сидя на мотоцикле. Это был мотоцикл Алена, но ездили они на нем по очереди.

В следующий раз Шарль рассказывает друзьям о Калинине и о прусской столице

С самого своего основания знаменитый прусский город назывался Кенигсберг, что означает «королевская гора». И только после последней войны он стал Калининградом. «Град» означает по-русски «город». То есть город Калинина. Век, который нам с вами повезло пережить, просто помешался на переименованиях. Царицын переименовали в Сталинград, потом Сталинград в Волгоград. Санкт-Петербург переименовали в Петроград, потом Петроград в Ленинград, и, наконец, Ленинград обратно в Санкт-Петербург. Хемниц переименовали в Карл-Маркс-Штадт, потом Карл-Маркс-Штадт в Хемниц. Кенигсберг переименовали в Калининград... но внимание: Калининград остался и останется навсегда Калининградом и переименовывать его не будут.

Слава Калинина оказалась выше любой другой славы.

— А кто это такой? — спросил Калибан.

— Это человек, — продолжал Шарль, — не имевший никакой реальной власти, убогая, безобидная марионетка, однако в течение довольно долгого времени он являлся председателем Президиума Верховного Совета, то есть с точки зрения протокола это был самый влиятельный человек в государстве. Я видел его фотографию: старый рабочий, что-то в нем от профсоюзного активиста, бородка клинышком, дурно скроенный пиджак. Калинин уже тогда был довольно старым и страдал воспалением простаты, поэтому вынужден был часто бегать писать. И эти позывы к мочеиспусканию бывали такими сильными и внезапными, что он должен был срочно бежать в туалет во время официального обеда или даже посреди речи, которую произносил перед большой аудиторией. Надо признать, он приобрел в этом деле известную сноровку. И сегодня в России вспоминают о празднике в честь торжественного открытия нового оперного театра в одном украинском городе. Калинин по такому случаю произносил длинную вступительную речь. Раз в две минуты ему приходилось останавливаться, и, как только он отходил от трибуны, оркестр принимался играть народную музыку, на сцену выпархивали красивые белокурые украинские балерины и начинали танцевать. Когда Калинин возвращался на сцену, его встречали аплодисментами, когда он снова удалялся, аплодисменты становились еще сильнее, это публика приветствовала белокурых балерин, и по мере того, как его приходы и уходы учащались, аплодисменты становились все более продолжительными, громкими и сердечными, так что официальное празднование превратилось в какую-то безумную, шумную, радостную оргию, какой советское государство никогда не знало.

А вот когда в перерывах между заседаниями Калинин оказывался в кругу товарищей, его мочеиспусканию, увы, никто не аплодировал. Сталин рассказывал свои истории, а дисциплинированный Калинин не решался беспокоить его походами в туалет. Тем более что Сталин во время рассказа пристально смотрел на него, на его лицо, которое все больше бледнело и кривилось. Тогда Сталин намеренно замедлял свое повествование вплоть до того самого момента, когда лицо напротив внезапно расслаблялось, судорожная гримаса исчезала, выражение становилось безмятежным и умиротворенным; и только тогда, поняв, что великая битва в очередной раз завершилась поражением Калинина, Сталин переходил к развязке, вставал из-за стола и с веселой, дружеской улыбкой заканчивал заседание. Присутствующие вставали тоже и насмешливо поглядывали на товарища, который, стоя за столом или стулом, пытался спрятать свои мокрые брюки...

Приятели Шарля с удовольствием вообразили себе эту сцену, и только после некоторого молчания Калибан решился прервать затянувшуюся паузу:

— И все-таки непонятно, почему Сталин именем страдающего простатитом бедняги решил назвать немецкий город, в котором всю жизнь прожил знаменитый... знаменитый...

— Иммануил Кант, — подсказал Ален.

Ален обнаруживает неслыханную ранее нежность Сталина

Когда по прошествии недели Ален вновь увиделся с приятелями в бистро (или это было в квартире у Шарля, я уже не помню), он тут же вклинился в их беседу:

— Должен вам сказать, что лично я так и не понял, почему Сталин дал имя Калинина этому знаменитому городу Канта. Не знаю, как это можете объяснить вы, но я нахожу лишь одно объяснение: Сталин испытывал к Калинину необыкновенную нежность.

Веселое недоумение на лицах друзей ему понравилось и даже подвигло на следующее пояснение:

— Знаю-знаю... Слово «нежность» не слишком вяжется с репутацией Сталина, этого Люцифера двадцатого века, знаю, вся его жизнь была чередой заговоров, измен, войн, тюрем, убийств, расстрелов. Я не спорю, наоборот, даже подчеркиваю это, чтобы стало яснее: будучи человеком невероятно жестоким, он не мог испытывать чувства сострадания, сопоставимого по своей силе. Это превосходило бы любые человеческие возможности! Чтобы жить той жизнью, какой он жил, ему пришлось, если можно так сказать, усыпить свою способность к состраданию, а потом и вовсе забыть о ней. Но с Калининым, во время коротких перерывов между убийствами, все было по-другому: он видел совсем другую боль, боль маленькую, конкретную, персональную, понятную. Он смотрел на своего страдающего товарища и с приятным изумлением ощущал, как в его груди рождается слабое, сдержанное, почти неведомое, во всяком случае давно забытое чувство: любовь к страдающему человеку. Это была словно передышка в его полной жестокостей жизни. Нежность трепетала в груди Сталина в том же ритме, в каком пульсировала урина в мочевом пузыре Калинина. Обнаружить в себе чувство, которое он давно перестал испытывать, — в этом было для него нечто несказанно прекрасное.

Именно в этом, — продолжал Ален, — я вижу единственную возможную причину

45

нелепого переименования Кенигсберга в Калининград. Это произошло за тридцать лет до моего рождения, но я представляю себе ситуацию: война закончена, русские присоединили к своей империи знаменитый немецкий город и должны русифицировать его название, дать новое имя! Причем не первое попавшееся! Нужно, чтобы это имя было известно всему миру, и его сияние заставило замолчать врагов! А таких громких имен в России предостаточно! Екатерина Великая! Пушкин! Чайковский! Толстой! Не говорю уже о разгромивших Гитлера военачальниках, которыми в те годы повсюду восторгались! Как же объяснить, почему Сталин выбрал имя такого ничтожества? Принял это явно идиотское решение? Несомненно, тут сыграли роль тайные причины личного характера. И мы их знаем: он с нежностью думал о человеке, который страдал ради него, рядом с ним, и хотел вознаградить его за преданность, отблагодарить за самопожертвование. Если я не ошибаюсь — Рамон, можешь меня исправить! — в этот краткий момент Истории Сталин являлся самым влиятельным государственным деятелем в мире и знал об этом. И чувствовал зловредную радость оттого, что он единственный из всех этих президентов и королей, которому плевать на важность великих политических деяний, цинично просчитанных, единственный, кто может себе позволить принять абсолютно своенравное, капризное, безрассудное, блистательно нелепое, восхитительно абсурдное решение.

На столе стояла открытая бутылка красного вина. Стакан Алена был уже пуст; он наполнил его и продолжал:

— Рассказывая сейчас вам эту историю, я сам нахожу в ней все более глубокий смысл. — Сделав глоток, он заговорил снова: — Страдать, чтобы не запачкать брюки... Быть мучеником своей чистоплотности... Вести битву с мочой, которая увеличивается в объеме, продвигается вперед, угрожает, атакует, убивает... Можно ли представить себе героизм более прозаический и в то же время более человечный? Плевать мне на так называемых великих людей, чьими именами названы наши улицы. Они прославились благодаря своим амбициям, тщеславию, своей лжи или жестокости. А Калинин — единственный, кто останется в памяти благодаря страданиям, знакомым каждому человеку, благодаря отчаянной битве, которая никому не принесла несчастья, только ему одному.

Он закончил говорить, и все были растроганы.

Рамон произнес:

— Ты совершенно прав, Ален. После смерти я хочу просыпаться раз в десять лет, чтобы убедиться, остается ли Калининград по-прежнему Калининградом. И если это так, я почувствую солидарность с человечеством и, примирившись с ним, снова улягусь в могилу.

Часть третья

АЛЕН И ШАРЛЬ ЧАСТО ДУМАЮТ О СВОИХ МАТЕРЯХ

Тайна пупка впервые взволновала его, когда он в последний раз видел свою мать

Медленно возвращаясь домой, Ален разглядывал юных девушек, они демонстрировали свои оголенные пупки между заниженным поясом брюк и завышенной линией топиков. Как будто мощный импульс соблазна исходил не от бедер, не от ягодиц или груди, а от этой маленькой круглой ямочки посреди тела.

Я повторяюсь? Начинаю эту главу с тех же слов, что использовал в первых строках романа? Знаю. Но даже если я уже говорил о страсти Алена к загадке пупка, я не могу утаить, что загадка эта занимает его по-прежнему, как вас много месяцев, а то и лет занимают одни и те же проблемы (наверняка гораздо более ничтожные, чем та, что неотступно преследовала Алена). Итак, расхаживая по улицам, он часто думал о пупке, возвращаясь к этой мысли с какой-то непонятной настойчивостью, потому что вид пупка пробуждал в нем некое давнее воспоминание: воспоминание о последней встрече с матерью.

Ему было тогда десять лет. Отец снял на каникулах загородный домик с садом и бассейном. Именно тогда она впервые приехала к ним после многолетнего отсутствия. Они с бывшим мужем закрылись в доме. Удушливая атмосфера, казалось, накрыла все на километр вокруг. Сколько времени она там оставалась? Вероятно, час или два, не больше, все это время Ален пытался развлекаться один в бассейне. Он как раз вылез из воды, когда она остановилась перед ним, чтобы попрощаться. Она была одна. Что они тогда сказали друг другу? Он уже не помнит. Помнит только, что она сидела в садовом шезлонге, а он стоял перед нею еще мокрый, в купальных плавках. Что они сказали друг другу, он забыл, но один момент врезался в память, оказался запечатлен ясно и отчетливо: сидя в своем шезлонге, она напряженно смотрела на пупок сына. Этот взгляд на своем животе он чувствует до сих пор. Взгляд, который трудно понять; казалось, в нем была странная смесь сочувствия и презрения; губы матери сложились в улыбку (улыбку сочувствия и презрения), не вставая с шезлонга, она наклонилась к нему и указательным пальцем коснулась его пупка. Затем сразу же поднялась, поцеловала его (действительно ли она его поцеловала? кажется, да, но он не уверен) и ушла. Больше он никогда ее не видел.

Из машины выходит женщина

По шоссе вдоль реки едет маленькая машина. Из-за холодного утреннего воздуха таким убогим кажется этот непривлекательный пейзаж, где-то между пригородом и сельской местностью, там, где все реже попадаются дома и почти нет пешеходов. Машина останавливается на обочине, из нее выходит женщина, молодая, довольно красивая. Вот что странно: она захлопнула дверцу таким небрежным жестом, что машина наверняка не закрылась. Что означает эта небрежность, столь невероятная в наше время воров и жуликов? Может, это рассеянность?

Нет, она не производит впечатление рассеянной, наоборот, на ее лице читается решимость. Эта женщина знает, чего хочет. Эта женщина — просто воплощение силы воли. Она идет несколько сотен метров по дороге к мосту через реку, мост высокий, узкий, проезд транспортных средств запрещен. Она ступает на мост и идет на другой берег. Несколько раз оглядывается, не так, как оглядывается женщина, которую кто-то ждет, а чтобы убедиться, что ее не ждет никто. На середине моста останавливается. На первый взгляд может показаться, что она колеблется, но нет, это не колебание и даже не внезапная потеря решимости, наоборот, в этот момент она еще больше сосредоточивается, еще больше укрепляет волю. Волю? Точнее сказать: свою ненависть. Да, остановка, которая могла показаться колебанием, на самом деле призыв к ненависти, чтобы она осталась с нею, поддерживала, не покидала ни на мгновение.

Женщина перешагивает через перила и бросается в пустоту. Упав и сильно ударившись о жесткую поверхность воды, парализованная холодом, она через несколько долгих секунд все-таки поднимает голову, и, поскольку неплохо плавает, все ее рефлексы протестуют против желания умереть. Она вновь погружает голову в воду, изо всех сил старается вдохнуть воды, заблокировать дыхание. И в этот момент слышит крик с другого берега. Кто-то увидел ее. Она понимает, что умереть будет непросто и самый большой ее враг — не укоренившийся автоматизм умелой пловчихи, а кто-то, о ком она и не думала. Она будет вынуждена бороться. Бороться, чтобы спасти свою смерть.

Она убивает

Она смотрит туда, откуда донесся крик. Какой-то человек бросился в воду. Она размышляет: кто окажется проворнее, она со своей решимостью остаться под водой, вдохнуть воды, утонуть или он, тот, кто приближается? Ослабевшая полуутопленница с водой в легких, не сделается ли она слишком легкой добычей для своего спасителя? Он вытащит ее на берег, положит на землю, вытолкнет воду из легких, сделает дыхание рот в рот, вызовет спасателей, полицию, и она будет спасена и навсегда подвергнута осмеянию.

— Не надо, не надо! — кричит человек.

Все изменилось: вместо того чтобы погрузиться в воду, она поднимает голову и делает глубокий вдох, собирая все силы. Он уже рядом. Это молодой человек, юноша, которому хочется известности, фотографии в газетах, он все повторяет: «Не надо, не надо!» Он уже протягивает к ней руку, а она и не думает увернуться, а наоборот, хватает ее, крепко сжимает и тянет в глубину. Он успевает еще раз прокричать: «Не надо!» — как будто это единственное, что он умеет произносить. Но больше он не произнесет и этого; она крепко держит его руку, тянет в глубину, потом во весь свой рост вытягивается на спине юноши, чтобы голова его оставалась под водой. Он защищается, барахтается, он уже наглотался воды, пытается ударить лежащую на нем женщину, но больше не может поднять голову, чтобы вдохнуть воздуха, и после нескольких долгих, очень долгих мгновений затихает и перестает метаться. Какое-то время она еще удерживает его, словно, усталая и дрожащая, отдыхает, вытянувшись на его спине, затем, убедившись, что человек под нею уже не подает признаков жизни, отпускает его и плывет обратно к своему берегу, смывая с себя малейший след того, что только что произошло.

Но как? Она забыла о своем решении? Почему она передумала топиться, если того, кто попытался украсть ее у смерти, больше нет в живых? Почему, наконец освободившись, она уже не хочет умирать?

Внезапно обретенная жизнь стала потрясением, сломившим ее решимость; она больше не находит сил сосредоточиться на смерти, она дрожит, в одно мгновение лишившись воли, энергии, она машинально плывет к тому месту, где оставила машину.

Она возвращается домой

Постепенно она ощущает, что уже не так глубоко, нащупывает ногами дно, встает; в тине она теряет туфли, но нет сил их искать; она босая выходит из воды и идет по дороге.

Вновь обретенный мир оборачивает к ней свое негостеприимное лицо, и тотчас же ее охватывает тревога: нет ключей от машины! Где же они? Юбка у нее без карманов. Когда идешь к смерти, не заботишься о том, что оставляешь на пути. Когда она выходила из машины, будущего не существовало. Ей нечего было прятать. А теперь оказалось, что прятать надо все. Чтобы не осталось никаких следов. Тревога все сильнее: где ключи? как я попаду домой?

Вот она около машины, тянет на себя дверцу, которая, к ее удивлению, поддается. Ключ остался на приборной доске. Она садится за руль и ставит босые мокрые ступни на педали. Она по-прежнему дрожит. Еще она дрожит от холода. С блузки и юбки стекает грязная речная вода. Она поворачивает ключ и трогается с места.

Тот, кто хотел заставить ее жить, умер. А тот, кого она хотела убить в своем животе, остался жив. Мысль о самоубийстве испарилась навсегда. Повторений не будет. Молодой человек мертв, эмбрион жив, а она сделает все, чтобы никто не узнал, что произошло. Она дрожит, и тут пробуждается ее воля, она думает только о своем ближайшем будущем: как выйти из машины, чтобы никто не заметил? Как незамеченной проскользнуть в мокром платье мимо комнатки консьержки?

В этот самый момент Ален чувствует резкий толчок в плечо.

— Осторожнее, идиот!

Он оборачивается и видит на тротуаре девушку, которая быстрым, решительным шагом обгоняет его.

— Извините! — кричит он вслед (своим слабым голосом).

— Придурок! — отвечает, не оборачиваясь, девушка (громким голосом).

Извинялы

Сидя один в своей студии, Ален осознал, что у него до сих пор болит плечо, и подумал, что женщина, которая пару дней назад так сильно толкнула его на улице, наверняка сделала это нарочно. У него в ушах еще звучал ее пронзительный голос, когда она назвала его «идиотом», и свое собственное умоляющее «извините», за которым последовал ответ: «Придурок!» Опять он извинялся ни за что! Откуда этот постоянный дурацкий рефлекс просить прощения? Воспоминание не оставляло его, и он почувствовал необходимость с кем-нибудь поговорить. Он позвонил Мадлен. В Париже ее не было, мобильный выключен. Тогда он набрал номер Шарля и, как только услышал его голос, извинился:

— Не сердись. У меня ужасно плохое настроение. Нужно поболтать.

— Очень кстати. У меня тоже плохое настроение. У тебя из-за чего?

— Злюсь на самого себя. Почему по любому поводу я чувствую себя виноватым?

— Это несерьезно.

— Чувствовать себя виноватым или не чувствовать. Думаю, все дело в этом. Жизнь — это борьба всех против всех. Это давно известно. Но как протекает эта борьба в более или менее цивилизованном обществе? Люди ведь не могут при встрече сразу набрасываться друг на друга. Вместо этого они пытаются унизить другого, внушив ему чувство вины. Победит тот, кто сделает другого виновным. А проиграет тот, кто признает вину. Представь, ты идешь по улице, погруженный в свои мысли. А навстречу тебе шагает какая-то девица, идет и не смотрит по сторонам, как будто она одна на свете. Вы сталкиваетесь. И тут наступает момент истины. Кто будет орать на другого, а кто извиняться? Это вполне показательная ситуация: на самом деле каждый из них одновременно — и тот, кто толкнул, и тот, кого толкнули. И тем не менее одни тут же, немедленно, совершенно инстинктивно признают себя виновными, то есть толкнули они. А другие немедленно, инстинктивно

представляют себя жертвами, теми, кого
толкнули, то есть право на их стороне, они
тут же готовы обвинять другого и покарать
его. Вот ты в этой ситуации будешь извиняться или обвинять?

— Конечно, буду извиняться.

— Вот, так что, бедняга, ты тоже при-
надлежишь к армии извинял. Ты надеешься
задобрить другого своими извинениями.

— Ну разумеется.

— А вот в этом ты ошибаешься. Тот, кто
извиняется, признает себя виновным. А коль
скоро ты признал себя виновным, ты побуж-
даешь другого и дальше оскорблять тебя,
разоблачать твою вину публично, и так до
самой твоей смерти. Вот роковые послед-
ствия первого извинения.

— Это точно. Значит, извиняться не надо. И все-таки я предпочел бы жить в мире,
где извиняются все без исключения, просто
так, постоянно, по любому поводу, пусть все
заваливают друг друга извинениями...

— Каким грустным голосом ты это го-
воришь, — удивился Ален.

— Вот уже два часа я думаю только о
своей матери.

— А что случилось?

Ангелы

—Она больна. Боюсь, это серьезно. Она только что мне звонила.

— Из Тарба?

— Да.

— Она одна?

— С ней ее брат. Но он еще старше ее. Я хочу прямо сейчас сесть в машину и ехать к ней, но это невозможно. Сегодня вечером у меня работа, которую я не могу отменить. Работа совершенно идиотская. А завтра поеду...

— Странно. Я часто думаю о твоей матери.

— Тебе бы она понравилась. Она забавная. Ей, наверное, уже трудно ходить, но мы все равно так веселимся.

— Похоже, твоя любовь к забавным историям — это от нее.

— Наверное.

— Странно.

— Почему странно?

— По тому, что ты мне рассказывал, я представлял ее по-другому: как будто из стихов Франсиса Жамма. В окружении больных животных и старых крестьян. Среди осликов и ангелов.

— Да, — сказал Шарль, — она такая. — Потом, помолчав несколько секунд: — Почему ты сказал про ангелов?

— А что тебя удивляет?

— В моей пьесе... — И после некоторого молчания: — Понимаешь, пьеса для кукольного театра — это просто пустяк, шутка, я ее даже не пишу, а просто представляю, но что я могу поделать, только это меня и развлекает... В общем, в последнем акте этой пьесы я представляю ангела.

— Ангела? Почему?

— Не знаю.

— А как закончится пьеса?

— Сейчас я знаю только, что в конце будет ангел.

— А что означает для тебя ангел?

— Я не силен в теологии. Ангела я представляю себе по фразе, когда благодарят за доброту: «Вы сущий ангел». Моей матери часто такое говорят. Вот почему я и удивился, когда ты сказал, что видишь ее с осликами и ангелами. Она такая.

— Я тоже не силен в теологии. Помню только, что есть поверженные ангелы.

— Да, поверженные, — согласился Шарль.

— А что мы еще знаем про ангелов? Что они изящные...

— Да уж, трудно представить себе пузатого ангела.

— И у них есть крылья. И еще они белые. Белые. Слушай, Шарль, если я не ошибаюсь, у ангелов ведь нет пола. Может, этим и объясняется их белизна.

— Может быть.

— И их доброта.

— Может быть.

Немного помолчав, Ален сказал:

— А у ангела есть пупок?

— Что?

— Если у ангела нет пола, он родился не из чрева женщины.

— Разумеется, нет.

— Значит, у него нет пупка.

— Да, в самом деле, пупка нет...

Ален подумал о молодой женщине, которая у бассейна загородного домика коснулась указательным пальцем пупка своего десятилетнего сына, и сказал Шарлю:

— Странно. Я тоже в последнее время все время думаю о матери... представляю ее во всех мыслимых и немыслимых обстоятельствах...

— Дружище, хватит! Мне надо готовиться к этому проклятому коктейлю.

Часть четвертая

ВСЕ В ПОИСКАХ ХОРОШЕГО НАСТРОЕНИЯ

Калибан

По первой своей профессии, которая в те времена являлась для него смыслом жизни, Калибан был актером; именно эта специальность записана черным по белому у него в документах, а будучи актером без ангажемента, он уже давно получал пособие по безработице. Последний раз, когда его можно было увидеть на сцене, он исполнял роль дикаря Калибана в шекспировской «Буре». Со слоем коричневого грима на коже, в черном парике, он скакал и выл, как ненормальный. Это выступление так восхитило его приятелей, что они стали называть его именем персонажа. Это было уже давно. С тех пор театры не приглашали его, а пособие уменьшалось год от года, как, впрочем, у тысяч других актеров, танцовщиков, певцов, сидевших без работы. И тогда Шарль, который зарабатывал на жизнь, организуя коктейли на дому заказчика, нанял его в качестве официанта. Так Калибан смог заработать немного денег, и более того, будучи по-прежнему актером в поисках утраченной миссии, он получил возможность время от времени менять образ. Обладая несколько наивными эстетическими представлениями (а разве его святой покровитель, шекспировский Калибан, не был наивен?), он думал, что его актерские достижения будут тем примечательнее, чем дальше от реальной жизни окажется изображаемый им персонаж. Вот почему он настоял на том, что сопровождать Шарля он будет не как француз, а как иностранец, говорящий на языке, которого никто вокруг не понимает. Когда пришлось выбирать новую родину, он, возможно, из-за своей смугловатой кожи выбрал Пакистан. Почему бы и нет? Выбрать родину проще простого. А вот придумать язык — это действительно трудно.

Попробуйте сымпровизировать и поговорить на вымышленном языке хотя бы секунд тридцать без остановки! Вы станете без конца повторять одни и те же слоги, и вас с вашей болтовней тут же разоблачат как самозванца. Если вы решили изобрести несуществующий язык, ему требуется придать акустическое правдоподобие: создать особую фонетику, звуки «а» или «о» произносить не так, как произносят их французы, надо решить, на какой слог будет падать ударение. Также для естественности речи рекомендуется на основе этих абсурдных звуков создать некую грамматическую схему, представлять, какое слово является глаголом, а какое существительным. А если в игре участвуют двое, важно определить роль второго, француза, то есть Шарля: хотя он не умеет говорить по-пакистански, он должен знать по крайней мере несколько слов, чтобы можно было в случае необходимости договориться о главном, не произнося ни слова по-французски.

Это было довольно сложно, но забавно. Увы, даже самая уморительная шутка в конце концов надоедает. Если во время первых коктейлей приятели забавлялись, то Калибан довольно скоро начал догадываться, что вся эта трудоемкая мистификация, в общем, бессмысленна, потому что гости

не выказывали к нему решительно никакого интереса и вовсе не слушали его непо-
нятный язык, довольствуясь простыми жестами, когда хотели показать, что именно же-
лают съесть или выпить. Он был актером без
публики.

Белые пиджаки
и юная португалка

В квартиру Д'Ардело они пришли за два часа до начала коктейльной вечеринки.

— Мадам, это мой помощник. Он пакистанец. Прошу меня извинить. Он не знает ни слова по-французски, — сказал Шарль, и Калибан церемонно склонился перед госпожой Д'Ардело, произнеся несколько фраз на непонятном языке.

Тактично скрытое равнодушие госпожи Д'Ардело, не обратившей на Калибана никакого внимания, в очередной раз убедило его в бессмысленности старательно выдуманного языка, и он уже было загрустил.

К счастью, за разочарованием последовало небольшое утешение: горничная, которой госпожа Д'Ардело велела выполнять распоряжения двух месье, не могла оторвать глаз от столь экзотического существа. Несколько раз обратившись к нему и осознав, что он понимает только свой язык, она поначалу смутилась, затем — что странно — расслабилась. Ведь она была португалкой. Поскольку Калибан говорил с нею по-пакистански, она получила редкую возможность пренебречь французским, которого не любила, и тоже заговорить на своем родном языке. Общение на двух языках, которых они не понимали, сблизило их.

Перед домом остановился небольшой фургон, и двое служащих занесли заказанные накануне Шарлем вино и виски, ветчину, салями, птифуры и сложили все на кухне. С помощью горничной Шарль и Калибан накрыли огромной скатертью длинный стол в гостиной и принялись расставлять тарелки, блюда, стаканы и бутылки. Затем, перед самым началом вечеринки, они удалились в небольшую комнатку, указанную госпожой Д'Ардело. Вытащив из чемодана два белых пиджака, переоделись. Зеркало им было не нужно. Они посмотрели друг на друга и не могли удержаться от смеха. Это был их короткий миг радости. Они забывали, что вынуждены трудиться, зарабатывая на жизнь; видя себя в этих белых нарядах, они веселились.

Шарль отправился в гостиную, оставив Калибана заполнять последние подносы. В кухню вошла весьма самоуверенная юная девица и обратилась к горничной:

— Ты не должна ни на секунду показываться в гостиной! Если наши гости тебя увидят, они сбегут! — Затем, взглянув на губы португалки, прыснула: — Где ты откопала такой цвет? Ты похожа на африканского попугая! Попугай Буранбубубу! — И, смеясь, вышла из кухни.

Со слезами на глазах португалка сказала Калибану (по-португальски):

— Мадам очень хорошая! А ее дочь такая злая. Она так сказала, потому что вы ей нравитесь! Когда рядом мужчины, она всегда со мной злая! Она всегда унижает меня перед мужчинами!

Не имея возможности ответить, Калибан погладил ее по голове. Она подняла на него глаза и сказала (по-французски):

— Посмотрите, что, и вправду такая ужасная помада?

Она повертела головой, чтобы он смог рассмотреть ее губы во всей красе.

— Нет, — сказал он ей (по-пакистански), — очень удачный цвет...

В своем белом пиджаке Калибан казался ей еще более величественным, еще более необыкновенным, и она сказала ему (по-португальски):

— Я так рада, что вы здесь.

А он, в порыве красноречия (опять по-пакистански):

— Не только ваши губы, но все ваше лицо, ваше тело, вся целиком, вы стоите передо мной такая прекрасная, такая прекрасная...

— О, как я рада, что вы здесь, — повторила горничная (по-португальски).

Фотография на стене

Не только для одного Калибана, которому перестает казаться забавной его мистификация, но и для всех моих персонажей этот вечер окутан печалью: для Шарля, открывшего Алену свою тревогу за больную мать; для Алена, взволнованного сыновней любовью, какую сам он никогда не испытывал, а еще взволнованного этим образом старой женщины, живущей в деревне, в мире, ему неведомом, но пробудившем в нем тоску. К несчастью, когда он захотел продолжить разговор, выяснилось, что Шарль спешит и должен повесить трубку. Тогда Ален взял мобильный, чтобы позвонить Мадлен. Телефон звонил и звонил, но напрасно. В подобные моменты он часто смотрел на фотографию, висевшую на стене. В его студии только и была эта единственная фотография: лицо молодой женщины, его матери.

M

ILAN KUNDERA

Через несколько месяцев после рождения сына она бросила мужа, который, будучи человеком сдержанным, никогда не говорил о ней ничего дурного. Это был мужчина мягкий и добрый. Ребенок не понимал, как женщина могла бросить такого мягкого и доброго мужчину, и еще меньше понимал, как она могла бросить своего сына, который тоже (он это осознавал) с самого своего детства (если не с момента зачатия) был мягким и добрым.

— Где она живет? — спрашивал он у отца.

— Кажется, в Америке.

— Как это, «кажется»?

— Я не знаю ее адреса.

— Но она должна тебе его дать.

— Она ничего мне не должна.

— А мне? Разве она не хочет ничего про меня знать? Не хочет знать, что я делаю? Не хочет знать, что я о ней думаю?

Однажды отец не сдержался:

— Раз уж ты настаиваешь, я тебе скажу: твоя мать вообще не хотела, чтобы ты родился. Она не хотела, чтобы ты здесь гулял, чтобы валялся в этом кресле, где тебе так хорошо. Она тебя не хотела. Теперь понимаешь?

Отец не был агрессивным человеком. Просто, несмотря на всю свою сдержанность, не мог скрыть священный гнев, направленный на женщину, которая не желала, чтобы человеческое существо появилось на свет.

Я уже рассказывал о последней встрече Алена с матерью возле бассейна во время каникул. Ему было тогда десять лет. И шестнадцать, когда умер отец. Через несколько дней после похорон он вынул фотографию матери из семейного альбома, вставил ее в рамку и повесил на стену. Почему в его студии не было никакой фотографии отца? Не знаю. Это нелогично? Разумеется. Несправедливо? Несомненно. Но это так: в его студии висела единственная фотография — фотография матери. С которой он иногда разговаривал:

Как производят
на свет извинял

—Почему ты не сделала аборт? Он не разрешил?

Голос с фотографии обратился к нему:

— Ты этого никогда не узнаешь. Все, что ты сочиняешь обо мне, это всего лишь волшебные сказки. Но мне нравятся твои сказки. Даже когда ты делаешь из меня убийцу, которая утопила в реке молодого человека. Мне все нравится. Продолжай, Ален. Рассказывай. Сочиняй! Я слушаю.

И Ален сочинял: он представлял себе отца на теле матери. Перед совокуплением она его предупреждает: «Я не приняла пилюли, осторожнее!» Он ее успокаивает. И она безо всякой опаски занимается любовью, затем, увидев, как лицо мужчины накрывает волна сладострастия, кричит: «Осторожнее! — потом: — Нет! нет! не хочу!» — но лицо мужчины становится все более крас-

ным, красным и омерзительным, она пытается сбросить отяжелевшее тело, которое еще
крепче прижимается к ней, она отбивается,
а он стискивает ее все сильнее, и внезапно
она понимает, что это не ослепление, вызван-
ное возбуждением, а его воля, холодная, про-
думанная, а у нее даже больше чем воля: это
ненависть, еще более свирепая оттого, что
битва проиграна.

Ален не в первый раз представлял себе
их совокупление; оно завораживало его и за-
ставляло предположить, что каждое человеческое существо есть слепок той секунды, в
которую был зачат. Он встал перед зеркалом
и принялся рассматривать свое лицо, пыта-
ясь отыскать на нем следы двойной ненависти, породившей его: ненависть мужчины
и ненависть женщины в момент мужского
оргазма; ненависть существа мягкого и физически сильного соединялась с ненавистью
существа решительного и физически более
слабого.

Он подумал, что плодом этой самой двойной ненависти мог оказаться только такой
вот извиняла: он был мягким и добрым, как
отец, и оставался непрошеным чужаком, каким представлялся матери. Тот, кто является одновременно мягким человеком и непро-

шеным чужаком, повинуясь неумолимой логике, обречен извиняться всю жизнь.

Он посмотрел на лицо с фотографии и вновь увидел побежденную женщину, которая в мокром платье садится в машину, незамеченной проскальзывает мимо каморки консьержа, поднимается по лестнице и босиком входит в квартиру, где и останется до тех пор, пока непрошеный чужак не выйдет из ее тела. Потом, несколько месяцев спустя, бросит их обоих.

Рамон прибывает
на коктейль в крайне
дурном настроении

Несмотря на сострадание, которое Рамон
почувствовал в конце их встречи в Люксембургском саду, он не мог изменить того об-
стоятельства, что Д'Ардело принадлежал к
неприятному ему типу людей. И это притом
что у них имелось нечто общее: стремление
восхищать окружающих, поразить их ка-
ким-нибудь забавным наблюдением, покорить женщину, да так, чтобы все это видели.
Хотя Рамон вовсе не был Нарциссом. Он
любил успех, но боялся вызвать зависть, ему
нравилось, чтобы ему поклонялись, но он
избегал поклонников. После того как ему
нанесли несколько чувствительных ударов,
его сдержанность превратилась в стремление к одиночеству, особенно это ощущение усилилось с прошлого года, когда ему

пришлось присоединиться к скорбному братству пенсионеров; нонконформистские высказывания, прежде его молодившие, теперь, несмотря на обманчивую внешность, делали из него личность неактуальную, старомодную, иными словами, устаревшую.

По этой причине он и решил пренебречь приглашением на коктейль бывшего коллеги (еще не вышедшего на пенсию) и переменил свое решение лишь в самый последний момент, когда Шарль и Калибан поклялись, что только его присутствие сделает сносной их миссию, которая все более им докучала. Тем не менее явился он слишком поздно, гораздо позже того, как один из гостей произнес речь во славу хозяина. Квартира была битком набита народом. Не зная никого из присутствующих, Рамон направился прямиком к длинному столу, за которым двое его приятелей разливали напитки. Стремясь прогнать дурное настроение, он обратился к ним со словами, призванными имитировать пакистанскую тарабарщину. Калибан ответил ему аутентичной версией той же тарабарщины.

Прогуливаясь среди гостей с бокалом вина в руке, по-прежнему в дурном располо-

жении духа, в какой-то момент он обратил
внимание на суету перед входной дверью.
Несколько человек, обернувшись в сторону
прихожей, смотрели на женщину, длинноногую, красивую, лет пятидесяти. Чуть на-
клонив голову вперед, она несколько раз
провела ладонью по волосам, сперва при-
подняв их, затем грациозно рассыпав, явив
всем и каждому сладострастно трагическое
выражение своего лица; никто из присутствующих прежде ее не встречал, но все зна-
ли ее по фотографиям: Ла Франк. Остано-
вившись перед длинным столом, она наклонилась и с серьезной сосредоточенностью
указала Калибану на несколько понравив-
шихся ей канапе.

Ее тарелка наполнилась, и Рамон вспомнил, о чем рассказывал ему Д'Ардело в Люксембургском саду: она недавно потеряла своего друга, которого любила так страстно, что,
повинуясь чудодейственной воле небес, в момент смерти ее печаль преобразовалась в эй-
форию, а желание жить усилилось стократ-
но. Он наблюдал за нею: она клала бутер-
броды в рот, и мышцы ее лица шевелились,
повинуясь энергичным жевательным дви-
жениям.

Когда дочь Д'Ардело (Рамон знал ее в лицо) заметила длинноногую знаменитость, ее рот остановился (она тоже что-то жевала), а сама она бросилась к гостье: «Дорогая!» Она захотела обнять ее, но помешала тарелка, которую знаменитая женщина держала у живота.

«Дорогая!» — все повторяла она, между тем как Ла Франк усердно перерабатывала во рту большую массу хлеба и салями. Не в силах проглотить сразу все, она языком протолкнула месиво в пространство между щекой и коренными зубами, затем, старательно артикулируя, попыталась сказать несколько слов девушке, которая все равно ничего не поняла.

Рамон сделал пару шагов, чтобы рассмотреть их поближе. Д'Ардело-младшая проглотила то, что у нее самой было во рту, и громко объявила: «Я знаю, я все знаю! Но мы никогда не оставим вас одну! Никогда!»

Ла Франк, устремив глаза в пустоту (Рамон понял, что она пытается сообразить, кто это с ней разговаривает), вытолкнула обратно в рот кусок бутерброда, прожевала, жадно заглотив половину, и произнесла: «Человек — это не что иное, как одиночество».

— Ах, как это верно! — воскликнула юная Д'Ардело.

— Одиночество, окруженное одиночествами, — добавила Ла Франк, не разжевывая, проглотила остальное, отвернулась и удалилась.

Рамон сам не понял, почему на его лице наметилась легкая улыбка.

Ален ставит на шкаф бутылку арманьяка

В тот самый момент, когда эта легкая улыбка внезапно осветила лицо Рамона, телефонный звонок прервал размышления Алена о причинах появления на свете извинял. Он тут же понял, что Мадлен из их числа. Невозможно понять, почему эти двое могли разговаривать так подолгу и с таким удовольствием, не имея при этом почти никаких общих интересов. Слушая Рамона, излагавшего свою теорию относительно наблюдательных пунктов, расположенных в разных временны́х точках Истории, когда люди разговаривают, не понимая друг друга, Ален тут же вспомнил свою приятельницу, потому что именно благодаря ей он знал, что даже разговор двух влюбленных, если даты их рождения слишком уж отстают одна от другой, это наслоение двух монологов, и бо́льшая часть сказанного непонятна.

Именно поэтому, например, он не мог уяснить, зачем Мадлен искажает имена известных людей прошлого: то ли оттого, что ей никогда не доводилось их слышать, то ли она коверкала их умышленно, давая всем понять, что ее совершенно не интересует то, что происходило до ее собственного появления на свет. Алена это совершенно не смущало. Она нравилась ему такая, какая она есть, и от этого еще приятнее было оказаться потом в одиночестве в своей студии, где на стенах висели репродукции картин Босха, Гогена (и уж не знаю кого еще), которые устанавливали пределы его сокровенного мира.

У него всегда имелось смутное ощущение, что родись он на каких-нибудь лет шестьдесят раньше, то стал бы художником. Ощущение и в самом деле смутное, потому что он не понимал, что означает сегодня слово «художник». Какой-нибудь живописец, ставший оформителем витрин? Поэт? А поэты еще существуют? И в последние несколько недель особое удовольствие он получал от новой затеи Шарля — пьесы для кукольного театра, этой бессмыслицы, которая завораживала его именно потому, что в ней не имелось никакого смысла.

Прекрасно зная, что он не мог бы зарабатывать на жизнь тем, что ему нравится (а знал ли он сам, что ему нравится?), он, закончив учебу, выбрал деятельность, при которой ценились бы не его самобытность, идеи, талант, а только его ум, то есть эта арифметически измеримая категория, которая у разных индивидуумов различается лишь количественно, одни обладают ею в большей, другие в меньшей степени. Ален обладал, скорее, в большей степени, так что платили ему хорошо, и он мог время от времени позволить себе бутылку арманьяка. Несколькими днями ранее он купил одну, заприметив на этикетке год, совпадающий с годом его рождения. Тогда он дал себе обещание открыть ее в день рождения и чествовать с друзьями свою славу, славу великого поэта, который из глубочайшего благоговения перед поэзией поклялся не написать ни единой стихотворной строчки.

Довольный, почти веселый после долгой болтовни с Мадлен, он встал на стул с бутылкой арманьяка в руке и поставил ее на высокий (очень высокий) шкаф. Затем сел на пол и, привалившись к стене, устремил на бутылку взгляд, который медленно превращал ее в королеву.

Каклик призывает
хорошее настроение

Пока Ален разглядывал бутылку на шкафу, Рамон не переставал ругать себя за то, что пришел туда, где находиться ему не хотелось; все эти люди были ему неприятны, особенно он не желал встречаться с Д'Ардело, и в этот самый момент увидел его в нескольких метрах от себя, тот стоял рядом с Ла Франк и пытался покорить ее своим красноречием; стремясь оказаться от него подальше, Рамон вновь приблизился к длинному столу, где Калибан как раз разливал бордо в бокалы троих гостей; жестами и гримасами он пытался им объяснить, что вино редкого качества. Эти господа, явно знатоки хороших манер, подняли свои бокалы, долго согревали их в ладонях, затем, сделав глоток, подержали вино во рту, обернув один к другому лица, изображавшие поначалу крайнюю сосредоточенность, потом изумленное восхищение, и в конце концов они громогласно выразили свой восторг. Длилось это не больше минуты, пока это пиршество вкуса не было внезапно прервано разговором, и наблюдавшему за ними Рамону показалось, что он присутствует на похоронах, где три могильщика предают земле божественный вкус вина, бросая на крышку гроба землю и пыль своих разговоров; на губах его вновь появилась довольная улыбка, и в этот самый момент за спиной раздался слабый, едва слышный голосок, какое-то легкое посвистывание, а не слова:

— Рамон! Ты что здесь делаешь?

Он обернулся:

— Каклик! А ты что здесь делаешь?

— Я в поисках новой подружки, — ответил тот, и его в высшей степени невыразительное личико просияло.

— Дорогой мой, — сказал Рамон, — ты не меняешься.

— Знаешь, нет ничего ужаснее скуки. Поэтому и я меняю подружек. Если бы не это, прощай, хорошее настроение!

— А, хорошее настроение! — воскликнул Рамон, словно озаренный этими словами. — Да, ты говорил! Хорошее настроение! Дело именно в этом, и только в этом!

Как приятно тебя видеть! На днях я говорил о тебе с друзьями, о мой Каклик, мне столько нужно тебе сказать...

Но тут он заметил неподалеку хорошенькое личико знакомой женщины; это восхитило его, словно две случайные встречи, чудесным образом совпав в одном промежутке времени, зарядили его энергией; в голове его, словно призыв, звучало эхо слов «хорошее настроение».

— Прости, — сказал он Каклику, — поговорим позднее, а то сейчас... понимаешь...

Каклик улыбнулся:

— Ну конечно понимаю! Давай-давай!

— Счастлив видеть вас, Жюли, — сказал Рамон молодой женщине. — Мы уже тысячу лет не встречались.

— Вы сами виноваты, — ответила она, дерзко глядя ему в глаза.

— До этого самого мгновения я терялся в догадках, какая дурацкая причина привела меня на этот тоскливый праздник. Наконец понял.

— И праздник сразу перестал быть для вас тоскливым, — рассмеялась Жюли.

— Вы его растоскливили, — рассмеялся в ответ Рамон. — Но что привело сюда вас?

Она махнула рукой в сторону группы гостей, окруживших старую (ну очень старую) знаменитость из университетской среды:

— Он все время что-то говорит, — затем добавила с многообещающей улыбкой: — Горю от нетерпения встретиться с вами сегодня попозже...

Рамон, находясь в прекрасном расположении духа, мельком увидел Шарля, тот стоял у длинного стола с отсутствующим видом, устремив глаза куда-то вверх. Эта странная поза удивила Рамона, он еще подумал: «Как хорошо, что мне не приходится уделять внимание тому, что происходит наверху, как хорошо находиться здесь, на этом свете» — и посмотрел на Жюли, которая удалялась, завлекая его и салютуя колыханиями своего зада.

Часть пятая

ПЕРЫШКО ПАРИТ ПОД ПРИТОЛОКОЙ

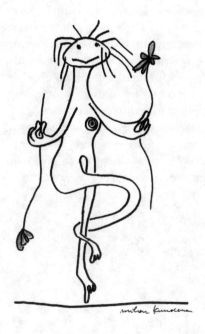

Перышко парит
под притолокой

«...Шарль... стоял с отсутствующим видом, устремив глаза куда-то вверх». Это слова из последнего абзаца предыдущей главы. Но что именно Шарль разглядывал там, наверху?

Под притолокой трепыхался какой-то крошечный предмет, маленькое белое перышко медленно парило под потолком, то опускаясь, то опять взмывая вверх. За длинным столом, заставленным тарелками, бутылками и бокалами, Шарль стоял неподвижно, слегка запрокинув голову, а заинтригованные этой позой гости один за другим тоже начинали следить за его взглядом.

Наблюдая за перемещениями перышка, он вновь почувствовал тревогу; ему пришла в голову мысль: это ангел, о котором он думал все последние недели, подает ему знак, что находится где-то здесь, совсем рядом.

Возможно, перед тем, как его сбросили с неба, он, испуганный, выронил из крыла это крошечное, едва заметное перышко, словно отголосок своей тревоги, словно воспоминание о счастливой жизни рядом со звездами, словно визитную карточку, которая должна была объяснить его приход и возвестить о приближающемся конце.

Но Шарль еще не был готов встретить конец; он бы хотел отложить его, отсрочить. Он вспомнил о больной матери, и сердце его сжалось.

И все-таки перышко еще было там, оно поднималось и опускалось, а в другом конце гостиной Ла Франк тоже смотрела на потолок. Она подняла руку, выставив указательный палец, чтобы перышко на него село. Но перышко не пожелало садиться на палец Ла Франк и продолжило свои странствия.

Конец мечтаний

Над поднятой рукой Ла Франк продолжало скитаться перышко, и я представляю себе два десятка гостей, которые, сгрудившись возле длинного стола, устремляют взгляды вверх, даже если никакое перышко там не парит; более всего их смущает и раздражает то, что предмет, который их страшит, находится ни напротив (как враг, в которого можно выстрелить), ни под (как ловушка, которую тайная полиция могла бы обнаружить), а где-то над ними, словно невидимая, нематериальная, непостижимая, неуловимая, ненаказуемая, коварно-загадочная угроза. Кто-то даже поднялся со стула, хотя и не понимая, куда это он собирается направиться.

Я вижу невозмутимого Сталина, он сидит на другом конце стола и ворчит:

— Ну, хватит, трусы! Чего вы боитесь? — Затем громче: — Садитесь, заседание продолжается!

Стоящий у окна Молотов тяжело дышит:

— Иосиф, там что-то готовится. Говорят, они собираются сбросить твои памятники.

Затем под насмешливым взглядом Сталина, под тяжестью его молчания послушно опускает голову и возвращается к столу.

Все садятся на свои места, и Сталин произносит:

— Это называется конец мечтаний! Всем мечтаниям когда-нибудь приходит конец. Это всегда неожиданно и всегда неизбежно. Вы что, не знаете, неучи?

Все замолкают, только Калинин, не в силах совладать с собой, громко заявляет:

— Что бы там ни было, Калининград навсегда останется Калининградом!

— И это правильно. Я счастлив, что имя Канта всегда будет связано с твоим именем, — отвечает Сталин, не скрывая довольства. — Ведь ты знаешь, Кант этого вполне заслуживает. — И его веселый смех, к которому никто не присоединился, еще долго блуждает по огромному залу.

Рамон жалуется на то,
что шутки кончились

Далекое эхо сталинского смеха едва слышно шелестит в гостиной. Стоя у длинного стола с напитками, Шарль по-прежнему не отводил взгляда от перышка, парящего над вытянутым пальцем Ла Франк, а Рамон среди всех этих запрокинутых к потолку голов радовался, что настал наконец миг, когда он, никем не замеченный, может тихонько удалиться вместе с Жюли. Он посмотрел направо, налево, но ее не было. Он все еще слышал ее голос, последние слова звучали как приглашение. Он все еще видел ее великолепный зад, который, удаляясь, салютовал ему. А может, она пошла в туалет? Поправить макияж? Он подождал у двери в узком коридоре. Вышли несколько дам, подозрительно взглянули на него, а ее не было. Все ясно. Она уже ушла. И ухажера отвадила.

Ему захотелось покинуть эту мрачную обстановку, покинуть прямо сейчас, немедленно, и он направился к выходу. Но в нескольких шагах от двери перед ним возник Калибан с подносом:

— Боже мой, Рамон, какой ты грустный! Выпей-ка виски.

Ну как обидеть друга? Впрочем, в их неожиданной встрече таилась невероятная прелесть: поскольку все болваны вокруг, словно загипнотизированные, уставили взгляды в потолок, в одну и ту же нелепую точку, он мог бы наконец остаться с Калибаном здесь, внизу, на земле, наедине, словно на необитаемом острове. Они остановились, и Калибан, желая сказать что-то веселое, произнес какую-то фразу по-пакистански.

Рамон ответил (по-французски):

— Поздравляю, дорогой, с выдающимися лингвистическими достижениями. Но ты меня не веселишь, а еще больше погружаешь в тоску.

Он взял с подноса виски, выпил, поставил стакан обратно, взял другой и погрел его в ладони.

— Вы с Шарлем выдумали этот фарс с пакистанским языком, чтобы позабавиться во время этих скучных приемов, где вы — всего лишь жалкие лакеи, ублажающие снобов. Наверное, удовольствие от мистификации было вашей своеобразной защитой. Впрочем, все мы так делали. Мы давно уже поняли, что этот мир разрушить нельзя, как нельзя переделать или остановить его бег. И существовала единственно возможная модель сопротивления: не принимать его всерьез. Но приходится признать, что наши шутки уже не действуют. Ты ради собственной забавы стараешься говорить по-пакистански. Напрасный труд. Ты чувствуешь лишь усталость и скуку.

Он замолчал и увидел, что Калибан приложил палец к губам.

— Что такое?

Калибан кивнул, указывая на какого-то маленького лысого человечка, стоявшего неподалеку, единственного, кто устремил взгляд не на потолок, а на них.

— И что? — переспросил Рамон.

— Не говори по-французски! Он нас слушает, — прошептал Калибан.

— Ну и что тебя беспокоит?

— Прошу тебя, не говори по-французски. Мне кажется, он уже час следит за мной.

Понимая тревогу приятеля, Рамон произнес несколько слов на якобы пакистанском языке.

Калибан не ответил, но, похоже, немного успокоился.

— Теперь он смотрит в другую сторону, — сказал он и добавил: — Ушел.

Взволнованный Рамон выпил виски, поставил пустой стакан на поднос и машинально взял другой (уже третий). Затем произнес серьезным тоном:

— Клянусь, я даже не представлял, что такое может быть. Нет, в самом деле! А вдруг этот служитель истины обнаружит, что ты француз! Тогда, разумеется, он начнет тебя подозревать! Подумает, что у тебя есть причина скрывать свою истинную личность! Он предупредит полицию! Тебя вызовут на допрос! Ты объяснишь, что твой пакистанский был всего лишь шуткой. Они рассмеются: что за глупая увертка! На самом деле ты готовил преступление! На тебя наденут наручники!

Он увидел, как на лице Калибана вновь проступает тревога.

— Да нет, нет, забудь, что я сказал! Это ерунда. Я утрирую! — Затем, понизив голос, добавил: — Но я тебя понимаю. Шутки стали опасным делом. Боже мой, да тебе ли не знать! Вспомни историю с куропатками, которую Сталин рассказывал друзьям. И вспомни, что Хрущев орал в туалете! Этот правдолюб просто исторгал презрение! Какая пророческая сцена! Она действительно ознаменовала наступление новых времен! Закат эпохи шуток! Приход новой эры.

Облачко печали вновь пролетело над головой Рамона, когда в его воображении секунды на три опять появилась Жюли и ее удаляющийся зад; Рамон быстро осушил стакан, поставил на поднос, взял другой (уже четвертый) и провозгласил:

— Дорогой друг, единственное, чего мне не хватает, так это хорошего настроения!

Калибан снова огляделся; маленького лысого человечка рядом не было; это его успокоило, он улыбнулся.

А Рамон между тем продолжал:

— Ах, это хорошее настроение! Ты не читал Гегеля? Разумеется, нет. Ты даже не знаешь, кто это. Но наш учитель когда-то заставил меня его изучать. Размышляя о комическом, Гегель говорит, что настоящий юмор невозможен без хорошего настроения, послушай, вот буквально его слова: «неизменно прекрасное настроение»; «unendliche

Wohlgemutheit». Не насмешка, не сатира, не сарказм. Лишь с высот прекрасного настроения ты можешь любоваться нескончаемой человеческой глупостью и смеяться над нею.

Затем, выдержав паузу, со стаканом в руке медленно проговорил:

— Но как отыскать его, это прекрасное настроение?

Выпил и поставил стакан на поднос. Калибан послал ему прощальную улыбку, повернулся и ретировался. Рамон протянул руку в сторону удаляющегося друга и прокричал:

— Как отыскать его, это хорошее настроение?

Ла Франк уходит

В ответ раздались крики, смех и аплодисменты. Рамон обернулся и посмотрел в ту сторону гостиной, где перышко уже опустилось на вытянутый палец Ла Франк, которая подняла руку как можно выше, словно дирижируя последними тактами великой симфонии.

Возбужденная публика понемногу успокаивалась, и Ла Франк, не опуская руки, зычно продекламировала (несмотря на кусок бутерброда во рту):

— Небеса подают мне знак, что моя жизнь станет еще прекраснее, чем прежде. Жизнь сильнее смерти, потому что жизнь питается смертью!

Она замолчала, обвела взглядом публику и проглотила последний кусок.

Окружающие зааплодировали. Д'Ардело подошел к Ла Франк, словно желал обнять ее от имени всех присутствующих. Но она его не видела, по-прежнему воздев руку к потолку, зажав перышко между большим и указательным пальцем, медленно, танцующим шагом, слегка подпрыгивая, она направилась к выходу.

Рамон уходит

Восхищенный Рамон любовался этой сценой и чувствовал, как в горле вновь начинает бурлить смех. Смех? Может быть, это гегелевское «прекрасное настроение» осенило его с высоты и решило оказать покровительство? Может, это был призыв присвоить этот смех и как можно дольше не отпускать?

Украдкой он бросил взгляд на Д'Ардело. В течение всего вечера он старался его избегать. Может, из вежливости подойти к нему попрощаться? Нет! Он не станет портить единственный в своем роде момент прекрасного настроения! Надо уходить как можно быстрее.

Веселый и совершенно пьяный, он спустился по лестнице, вышел на улицу и стал ловить такси. Время от времени он принимался хохотать.

111

Дерево Евы

Rамон ловил такси, а Ален сидел на полу в своей студии, прислонившись к стене и опустив голову; кажется, он задремал. Его разбудил женский голос:

«Мне нравится то, что ты мне рассказывал, мне нравится, что ты придумываешь, и мне нечего добавить. Разве что про пупок. Для тебя образ женщины без пупка — это ангел. А для меня Ева — первая женщина. Она родилась не из чрева, а из каприза, каприза создателя. Именно из ее вульвы, вульвы первой женщины без пупка, и протянулась первая нитка пуповины. Если верить Библии, оттуда протянулись и другие пуповины, и к концу каждой был привязан маленький человечек: мужчина или женщина. Тела мужчин не продолжались ничем, они были бесполезны, а вот из женского полового органа выходила другая веревочка, и на конце ее была еще одна женщина или еще один мужчина, и все это, повторившись миллионы миллионов раз, превращалось в огромное дерево, созданное сплетением бесконечного количества тел, дерево, ветки которого касались неба. А корни этого гигантского дерева укрепились, только представь себе, в вульве единственной маленькой женщины, самой первой женщины, этой несчастной Евы без пупка.

Я, когда забеременела, представляла себя частью этого дерева, мне виделось, что я подвешена на одну из таких веревочек-пуповин, а ты, еще не родившийся, парил в пустоте, привязанный к пуповине, протянувшейся из моего тела, и с этого самого момента я мечтала, чтобы какой-нибудь убийца внизу перерезал горло женщине без пупка, я представляла себе, как ее тело агонизирует, умирает, разлагается, и это растущее из нее дерево, внезапно лишившись корней, основания, падает на землю, и бесконечное множество его ветвей обрушивается, словно гигантский ливень, пойми меня правильно, не то чтобы я мечтала о завершении истории человечества, об уничтожении всякого будущего, нет-нет, я хотела исчезновения всех людей с их прошлым и будущим, с их началом и концом, со всем сроком их существования, с их памятью, с Нероном и Наполеоном, Буддой и Иисусом, я хотела исчезновения дерева, с его корнями в крошечном животе без пупка первой глупой женщины, не ведающей, что она делает и какой ужас сулит нам всем это ее убогое совокупление, которое наверняка не доставило ей ни малейшей радости...»

Голос матери стих, Рамон поймал такси, а Ален, привалившись к стене, снова задремал.

Часть шестая

ПАДЕНИЕ
АНГЕЛОВ

Прощание с Марианой

Когда разошлись последние гости, Шарль и Калибан сложили в чемоданы белые куртки и вновь стали обычными людьми. Опечаленная португалка помогла им собрать тарелки, приборы, бутылки и сложить все в углу кухни, чтобы назавтра их унесли. Желая быть им полезной, она все время старалась держаться поближе, так что приятели, устав обмениваться забавными бессмысленными словечками, не могли найти ни секунды покоя, ни единого момента, чтобы сказать друг другу по-французски что-нибудь разумное. Без своей белой куртки Калибан показался португалке божеством, спустившимся с небес, чтобы стать обычным мужчиной, с которым может заговорить даже простая служанка.

— Вы правда совсем не понимаете, что я вам говорю? — спросила она его (по-французски).

Калибан что-то ответил (по-пакистан-ски), медленно, старательно артикулируя каждый звук, глядя ей прямо в глаза.

Она внимательно выслушала, словно, если говорить медленно, язык становился более понятным. Но была вынуждена признать свое поражение.

— Даже когда вы говорите медленно, я ничего не понимаю, — сказала несчастная. Потом обратилась к Шарлю: — Вы можете сказать что-нибудь на его языке?

— Только самые простые выражения, и то если это имеет отношение к кухне.

— Понимаю, — вздохнула она.

— Он вам нравится? — спросил Шарль.

— Да, — покраснела девушка.

— Что я могу для вас сделать? Может, сказать ему, что он вам нравится?

— Нет, — решительно замотала она головой. — Скажите ему, скажите... — Она задумалась. — Скажите, что, наверное, ему очень одиноко во Франции. Так одиноко. Я хотела сказать, что если ему что-нибудь нужно, ну, помощь или поесть... я могла бы...

— Как вас зовут?

— Мариана.

— Мариана, вы ангел. Ангел, который неожиданно встретился на нашем пути.

— Я не ангел.

С неожиданной готовностью Шарль согласился:

— Я тоже надеюсь, что нет. Потому что ангел появляется в самом конце. А конец хочется отодвинуть как можно дальше.

Подумав о своей матери, он забыл, о чем просила его Мариана, и спохватился лишь тогда, когда она напомнила ему умоляющим голосом:

— Месье, я просила ему сказать...

— Ах да, — вспомнил Шарль и сказал Калибану несколько невразумительных слов.

Тот приблизился к португалке. Поцеловал ее в губы, но рот девушки был крепко сжат, и поцелуй получился непреклонно целомудренным. Она тут же убежала.

Такая застенчивость навеяла на них тоску. Они молча спустились по лестнице и сели в машину.

— Калибан! Очнись! Она не для тебя!

— Знаю, но можно хоть помечтать. Она такая добрая, хотелось бы сделать для нее что-нибудь хорошее.

— Ты для нее ничего не можешь сделать хорошего. Своим присутствием ты можешь сделать ей только что-нибудь плохое, — ответил Шарль, и машина тронулась.

— Знаю. Но ничего не могу с собой поделать. Она разбудила во мне ностальгию. Ностальгию по целомудрию.

— Что? По целомудрию?

— Ну да. Несмотря на свою дурацкую репутацию неверного мужа, я испытываю неутолимую ностальгию по целомудрию! — И добавил: — Давай пойдем к Алену!

— Он уже спит.

— Разбудим. Мне хочется выпить. С ним и с тобой. Выпить за целомудрие.

Бутылка арманьяка
на горделивой высоте

С улицы раздался резкий и долгий звук клаксона. Ален открыл окно. Внизу Калибан хлопнул дверцей машины и крикнул:

— Это мы! Можно войти?

— Да! Поднимайтесь!

Еще с лестницы Калибан заорал:

— У тебя есть что-нибудь выпить?

— Я тебя не узнаю! Ты раньше не увлекался выпивкой! — сказал Ален, открывая дверь студии.

— Сегодня исключение! Я хочу выпить за целомудрие! — Калибан вошел в студию, Шарль за ним.

После секундного колебания Ален вновь обрел свое добродушие:

— Если ты и вправду хочешь выпить за целомудрие, считай, тебе повезло... — и указал на шкаф, увенчанный бутылкой.

— Ален, мне нужно позвонить, — сказал Шарль и, желая поговорить без свидетелей, направился к выходу, закрыв за собой дверь.

Калибан разглядывал бутылку на шкафу:

— Арманьяк!

— Я поставил ее наверх, чтобы она там царила, как королева, — сказал Ален.

— Он какого года? — Калибан попытался прочесть этикетку, затем восхищенно воскликнул: — Нет! Не может быть!

— Открой! — велел Ален.

Калибан вскарабкался на стул. Но, даже стоя на стуле, он едва мог коснуться бутылки, неприступной в своем горделивом величии.

Мир по Шопенгауэру

В компании тех же товарищей, сидя за тем же большим столом, Сталин оборачивается к Калинину:

— Поверь, дорогой, я тоже не сомневаюсь, что город великого Иммануила Канта навсегда останется Калининградом. А раз уж ты покровитель этого города, можешь нам сказать, какова самая важная идея у Канта?

Калинин понятия об этом не имеет. И тогда, как водится, Сталин, которому надоело их невежество, отвечает сам:

— Самая важная идея Канта — это «вещь в себе», по-немецки «Ding an sich». Кант считал, что вне наших представлений находится объективная вещь, «Ding», которую мы не в состоянии познать, однако она реальна. Но это ложная идея. Вне наших представлений нет никакой «вещи в себе», никакого «Ding an sich».

Присутствующие растерянно слушают его, а Сталин продолжает:

— Шопенгауэр оказался ближе к истине. Какова, товарищи, величайшая идея Шопенгауэра?

Товарищи избегают насмешливого взгляда экзаменатора, и тот, как водится, в конце концов отвечает сам:

— Величайшая идея Шопенгауэра, товарищи, это мир как воля и представление. Это значит, что за видимым миром нет ничего объективного, никакой «вещи в себе», и чтобы заставить существовать это представление, чтобы сделать его реальным, необходима воля; огромная воля, которая и должна внушить это представление.

Жданов робко возражает:

— Иосиф, что значит — мир как представление? Всю жизнь ты велел нам утверждать, что это все измышления идеалистической буржуазной философии!

Сталин:

— Скажите, товарищ Жданов, каково главное свойство воли?

Жданов молчит, и Сталин отвечает сам:

— Свобода. Она может утверждать все, что хочет. Допустим. Но вопрос в другом: представлений о мире существует столько же, сколько людей на земле; это неизбежно создает хаос; как же упорядочить этот хаос? Ответ прост: навязав всем одно представление. И его можно навязать только волей, единственной огромной волей, которая превыше всех прочих проявлений воли. Это я и сделал, насколько мне позволили силы. И уверяю вас, под влиянием сильной воли люди в конце концов могут поверить во что угодно! Да, товарищи, во что угодно!

Сталин хохочет, и по его голосу понятно, как он счастлив.

Вспоминая историю с куропатками, он лукаво смотрит на своих соратников, особенно на маленького, толстенького Хрущева, у которого как раз в этот момент ярко краснеют щеки, и он опять решается проявить храбрость:

— Но, товарищ Сталин, даже если они и верили во что угодно, теперь они не верят тебе вообще.

Удар кулаком по столу, который услышат везде

—Ты все правильно понял, — отвечает Сталин, — они перестали мне верить. Потому что воля моя ослабела. Моя несчастная воля, я всю ее растратил на эту мечту, в которую поверил весь мир. Я вложил туда все свои силы, пожертвовал собой. А теперь ответьте, товарищи: ради чего я жертвовал?

Ошеломленные товарищи даже не пытались что-либо произнести.

Сталин отвечает сам:

— Я, товарищи, пожертвовал собой ради человечества.

Чувствуя облегчение, все одобрительно кивают. Каганович даже аплодирует.

— Но что такое человечество? Это не есть объективная реальность, это всего лишь мое субъективное представление, а именно: то, что я смог увидеть собственными глазами. А что, товарищи, я все время видел собствен-

ными глазами? Я вас видел, вас! Вспомните-
ка туалет, где вы запирались и возмущались
моей историей про двадцать четыре куропатки? Как я веселился в коридоре, слушая
ваши вопли, но в то же время я думал: неужели я трачу все свои силы вот на этих бол-
ванов? На этих ничтожеств? Неужели я жил
ради них? Ради этих ослепительно зауряд-
ных кретинов? Ради этих писсуарных сокра-
тов? И когда я думал о вас, воля моя ослабе-
вала, чахла, убывала, а мечта, наша прекрасная мечта, существующая лишь благодаря
моей воле, обрушилась, словно гигантская
конструкция, у которой сломали опоры.

И чтобы нагляднее показать это обру-
шение, Сталин опустил свой кулак на стол,
тот задрожал.

Падение ангелов

Звук от удара сталинского кулака еще долго раздается в их головах. Брежнев смотрит в окно и не может поверить своим глазам. То, что он видит, просто невероятно: над крышами завис ангел с распростертыми крыльями. Он вскакивает со стула:

— Ангел, ангел!

Другие встают тоже:

— Ангел? Не вижу!

— Да вот! Наверху!

— Боже мой, еще один! Падает! — вздыхает Берия.

— Идиоты, — тяжело дышит Сталин, — вы еще увидите много падающих ангелов.

— Ангел — это знак! — объявляет Хрущев.

— Знак? Но знак чего? — стонет обессилевший от страха Брежнев.

128

Старый арманьяк
истекает на пол

В самом деле, это падение — знак чего? Разрушенной утопии, после которой уже не будет никакой другой? Эпохи, от которой не останется следов? Книг, картин, выброшенных в пустоту? Европы, которая больше не будет Европой? Шуток, над которыми никто больше не засмеется?

Ален не задавал себе подобных вопросов, испуганно глядя на Калибана, который, сжимая бутылку в руке, только что свалился на пол со стула. Он склонился над его телом, которое лежало на спине и не шевелилось. И только старый (о, очень старый) арманьяк истекал на паркет из разбитой бутылки.

Незнакомец прощается
со своей возлюбленной

В этот самый момент на другом конце Парижа в своей постели просыпалась прекрасная женщина. Она тоже слышала громкий, резкий звук, словно от удара кулаком по столу; в ее закрытых глазах еще жили воспоминания о сновидениях, в полусне она помнила, что это были эротические сновидения, их конкретное содержание уже заволокло дымкой, но она пребывала в прекрасном настроении, потому что эти сновидения, не будучи особенно чарующими или незабываемыми, были, несомненно, приятными.

Затем она услышала: «Это было прекрасно» — и только тогда открыла глаза и увидела возле двери какого-то мужчину, тот собирался уходить. Голос был высоким, слабым, тонким, хрупким и уже этим походил на самого мужчину. Она его знала? Вроде

130

да, она что-то такое смутно помнила: коктейль у Д'Ардело, где был еще этот влюблен-
ный в нее старый Рамон; чтобы избавиться от него, она ушла с каким-то незнаком-
цем; он оказался весьма милым, при этом
настолько заурядным и неприметным, что
она была не в состоянии вспомнить момент,
когда они расстались. Господи боже, так они
расстались или нет?

«Просто прекрасно, Жюли», — повторил он от двери, и она, слегка удивившись,
подумала, что этот мужчина наверняка про-
вел ночь в одной с ней постели.

Дурной знак

Каклик в последний раз взмахнул рукой, прощаясь, вышел на улицу, сел в свою скромную машину, а в это время в студии на другом конце Парижа Ален помогал Калибану подняться с пола.

— Ты как?

— Ничего, все в порядке. Только арманьяк... Его больше нет. Прости меня, Ален!

— Извиняла — это я, — сказал Ален, — я сам виноват. Не надо было заставлять тебя вставать на этот старый сломанный стул. — И, встревоженный, добавил: — Да ты хромаешь!

— Ерунда, ничего серьезного.

В этот момент в комнату вернулся Шарль и выключил мобильник. Он увидел нелепо скрюченного Калибана, который по-прежнему держал в руке разбитую бутылку.

— Что случилось?

— Я разбил бутылку, — сообщил ему Калибан. — Арманьяка больше нет. Дурной знак.

— Да, очень дурной знак. Мне прямо сейчас нужно ехать в Тарб, — сказал Шарль. — Мать при смерти.

Сталин и Калинин убегают

Если падает ангел, это, несомненно, знак. В кремлевском зале присутствующие, уставившиеся в окно, испытывают страх. Сталин улыбается и, воспользовавшись тем, что никто на него не смотрит, подходит к незаметной двери в углу зала. Открывает ее и оказывается в маленькой комнатушке. Там снимает красивый парадный мундир, надевает старую потрепанную куртку и берет длинное охотничье ружье. Переодевшись в охотника на куропаток, он возвращается в зал и направляется к большой двери, выходящей в коридор. Все взгляды устремлены в окно, а его никто не видит. В самый последний момент, когда он уже собирается положить ладонь на дверную ручку, он на секунду останавливается, словно желая в последний раз лукаво взглянуть на своих товарищей. И тогда его глаза встречаются с глазами Хрущева, который начинает кричать: «Это он! Видите, как он одет? Он хочет, чтобы все думали, будто он охотник! Он втянул нас в эту передрягу, а нам расхлебывать! Но ведь это он виноват! А мы все жертвы! Его жертвы!»

Сталин все дальше уходит по коридору, а Хрущев стучит по стене, бьет кулаком по столу, топает по полу ногами в украинских, плохо вычищенных сапогах. Другие по его примеру тоже начинают возмущаться, и вскоре уже все орут, вопят, топают, скачут, бьют кулаками по столу и в стену, стучат своими стульями по полу, так что в помещении стоит адский шум. Такой же гомон, как и раньше, во время перерывов, когда они собирались в туалете перед керамическими писсуарами с узорами в цветочек.

Все по-прежнему здесь, только Калинин незаметно ускользнул. Гонимый мучительными позывами мочевого пузыря, он скитается по кремлевским коридорам, но, так и не отыскав писсуара, выскакивает из здания и бежит по улицам.

Часть седьмая

ТОРЖЕСТВО НЕЗНАЧИТЕЛЬНОСТИ

Диалог на мотоцикле

На следующее утро, около одиннадцати, Ален должен был встретиться с Рамоном и Калибаном в Люксембургском саду, возле музея. Выходя из студии, он обернулся сказать «до свидания» матери на фотографии. Затем вышел на улицу и направился к припаркованному неподалеку мотоциклу. Садясь в седло, смутно почувствовал за спиной чье-то присутствие. Как будто к нему осторожно прикоснулась Мадлен.

Это иллюзорное ощущение его взволновало; оно показалось ему выражением любви к Мадлен; он тронулся с места.

Вдруг за спиной раздался голос:

— Я еще хочу с тобой поговорить.

Нет, это не Мадлен. Он узнал голос матери.

Улица была запружена автомобилями, он услышал:

— Я хочу быть уверена, что между на‐
ми нет никаких недоразумений, что мы по‐
нимаем друг друга...

Ему пришлось затормозить. Какой-то
пешеход, собираясь перейти улицу, в него‐
довании обернулся к нему.

— Буду откровенна. Мне всегда каза‐
лось ужасным отправлять в мир того, кто
об этом не просит.

— Знаю, — сказал Ален.

— Посмотри вокруг: никто из тех, кого
ты видишь, не оказался здесь по собствен‐
ной воле. Разумеется, это самая банальная
истина. Настолько банальная и настолько
важная, что ее перестали слышать и пони‐
мать.

Продолжая путь, он проскользнул меж‐
ду грузовиком и автомобилем, которые вот
уже несколько минут зажимали его с обе‐
их сторон.

— Все любят болтать о правах челове‐
ка. Какой бред! Право не имеет никакого
отношения к твоему существованию. Эти
поборники прав человека не позволят те‐
бе даже закончить жить по собственной
воле.

Над перекрестком зажегся красный свет.
Он остановился. С обеих сторон дороги пе‐

шеходы направились к противоположным тротуарам.

А мать продолжала:

— Посмотри на них! Посмотри! По крайней мере половина из них уродливы. Быть уродливым — это тоже право человека? А ты знаешь, что такое всю жизнь нести свое уродство? Без малейшей передышки. Свой пол ты тоже не выбирал. И цвет глаз. И свой век. И страну. И мать. Ничего из того, что действительно важно. Если человек и имеет какие-то права, то это права на такие пустяки, ради которых не имеет смысла бороться или писать пресловутую Декларацию!

Теперь он опять ехал, а голос матери смягчился:

— Ты здесь такой как есть, потому что я оказалась слабой. Это я виновата. Я прошу у тебя прощения.

Ален ответил не сразу, а когда заговорил, голос звучал спокойно и кротко:

— В чем ты виновата? В том, что у тебя не хватило сил помешать моему рождению? Или в том, что так и не примирилась с моей жизнью, которая совершенно случайно оказалась не такой и ужасной?

МИЛАН КУНДЕРА

Помолчав немного, она ответила:

— Может, ты и прав. Значит, я виновата вдвойне.

— Это я должен просить прощения, — сказал Ален. — Я свалился в твою жизнь, как коровья лепешка. И выгнал тебя в Америку.

— Хватит извиняться! Что ты знаешь о моей жизни, дурачок? Можно называть тебя дурачком? Не сердись, для меня ты дурачок. А знаешь, в чем причина твоей дурости? Доброта! Твоя нелепая доброта!

Они остановились у Люксембургского сада. Он припарковался.

— Не возражай и позволь мне извиняться. Я из породы извинял. Таким уж меня сделали вы — ты и он. А раз уж я извиняла, то я счастлив, когда мы с тобой извиняем друг друга. Правда же, извинять друг друга — это прекрасно?

Они направились к музею.

— Поверь мне, — сказал он, — я согласен со всем, что ты сейчас говорила. Со всем. В самом деле, здорово соглашаться друг с другом. Какой у нас прекрасный союз, да?

— Ален! Ален! — Мужской голос прервал их беседу. — Что ты смотришь на меня, как будто никогда не видел?

Рамон беседует с Аленом об эпохе пупков

Да, это был Рамон.

— Утром звонила жена Калибана, — сказал он Алену. — Рассказала о вашей вечеринке. Я все знаю. Шарль уехал в Тарб. У него мать при смерти.

— Знаю, — ответил Ален. — А Калибан? Когда они были у меня, он свалился со стула.

— Она мне сказала. Там не так уж все безобидно. Сказала, что ему трудно ходить. Больно. Сейчас он спит. Он хотел посмотреть с нами Шагала. Но не посмотрит. Кстати, я тоже. Ненавижу очереди. Взгляни.

Он кивнул в сторону толпы, которая медленно продвигалась ко входу в музей.

— Очередь не такая уж и длинная, — заметил Ален.

— Может, и не длинная, но все равно противно.

— Ты уже сколько раз приходил и уходил?

— Три раза. Так что, получается, я прихожу сюда не для того, чтобы посмотреть Шагала, а чтобы убедиться, насколько длиннее становится очередь с каждой неделей, так что, похоже, планета перенаселена. Посмотри на них! Думаешь, они так сразу воспылали любовью к Шагалу? Они готовы отправиться куда угодно, делать что угодно, лишь бы убить время, с которым непонятно, что делать. Они ничего не знают, значит ими легко управлять. Они потрясающе управляемы. Прости меня. Я в дурном настроении. Вчера слишком много выпил. Я правда много выпил.

— Ну и что будем делать?

— Давай погуляем по парку! Погода прекрасная. Знаю, воскресенье, народу многовато. Но ничего. Смотри! Какое солнце!

Ален не возражал. И вправду, атмосфера в парке была умиротворяющей. Некоторые бегали, другие просто шли, группы людей, расположившись на газоне, делали какие-то странные медленные движения, кто-то ел мороженое, кто-то играл в теннис на огороженном корте...

144

— Здесь мне гораздо лучше, — сказал Рамон. — Конечно, везде это единообразие. Но здесь, в парке, это единообразие как-то разнообразней. Можно даже питать иллюзии насчет собственной индивидуальности.

— Иллюзия индивидуальности... Любопытно: несколько минут назад у меня был странный разговор.

— Разговор? С кем?

— И потом, пупок...

— Какой пупок?

— Я тебе еще не говорил? Я тут много думал о пупке...

Словно повинуясь знаку невидимого режиссера, навстречу прошествовали две девушки с изящно обнаженными пупками.

Рамон только и сказал:

— И правда.

Ален:

— Прогуливаться с неприкрытым пупком — это такая нынешняя мода. Она длится уже лет десять.

— Пройдет, как и всякая другая мода.

— Не забывай, мода на пупки торжественно открыла новое тысячелетие! Как будто кто-то в ознаменование этой симво-

лической даты приоткрыл завесу, которая
столько веков мешала нам увидеть главное:
индивидуальность — это иллюзия!

— Ну, с этим не поспоришь, но при чем
здесь пупок?

— В женском теле есть несколько особо священных эротических мест: мне всегда казалось, что их три: бедра, ягодицы,
грудь.

Рамон нерешительно произнес:

— Почему бы и нет...

— Потом однажды я понял, что надо
добавить сюда и четвертое: пупок.

На мгновение задумавшись, Рамон согласился:

— Да, наверное.

Ален:

— Бедра, грудь, ягодицы у каждой женщины имеют свою особую форму. Выходит,
эти три священных места призваны не только вызывать возбуждение, они в то же время выражают индивидуальность женщины.
Ты безошибочно узнаешь ягодицы любимой
женщины. Эти любимые ягодицы ты отли-
чишь от сотен других. Но ты не можешь
опознать любимую женщину по ее пупку.
Все пупки одинаковы.

Мимо приятелей, смеясь и крича, пробежали десятка два ребятишек.

Ален продолжал:

— Каждое из этих четырех священных мест несет определенное эротическое послание. Я вот думаю, какое эротическое послание несет нам пупок... — И после недолгого молчания: — Очевидно одно: в отличие от бедер, ягодиц, груди, пупок ничего не говорит нам о женщине, он говорит о чем-то другом, чем эта женщина не является.

— И о чем же?

— О зародыше.

— Разумеется, о зародыше, — согласился Рамон.

Ален:

— Когда-то любовь была праздником индивидуального, неповторимого, славила то, что является единственным в своем роде, не терпит повторов. А пупок мало того что не восстает против повторов, это призыв к повторам! И мы в нашем тысячелетии все будем жить под знаком пупка. Под этим знаком мы все как один солдаты секса, с одинаковыми взглядами, направленными не на любимую женщину, а на одну и ту же ямочку посреди живота, которая являет собой единственный смысл, единственную цель, единственное будущее всякого эротического желания.

Тут их беседу прервала неожиданная встреча. Навстречу им, по той же аллее, шел Д'Ардело.

Появление Д'Ардело

Он тоже накануне много выпил, плохо спал и теперь собирался освежиться прогулкой по Люксембургскому саду. Появление Рамона поначалу поставило его в затруднительное положение. Он пригласил его на свой коктейль просто из вежливости, поскольку тот нашел ему двух таких милых официантов. Но поскольку этот пенсионер не представлял больше для Д'Ардело никакого интереса, он не нашел ни минуты, чтобы хотя бы поздороваться с ним на коктейле. Чувствуя себя виноватым, он раскинул руки для объятий и воскликнул:

— Рамон! Друг мой!

Рамон помнил, что накануне сбежал с вечеринки, даже не попрощавшись с бывшим коллегой. Но бурное приветствие Д'Ардело успокоило его совесть, он тоже раскинул руки с криком «Привет, дружище!», представил ему Алена и сердечно пригласил присоединиться к ним.

Д'Ардело прекрасно помнил, что именно в этом парке его посетила странная идея придумать себе смертельную болезнь. А что делать теперь? Отыграть назад он уже не мог, не мог и продолжать изображать из себя тяжелобольного; впрочем, ситуация не казалась ему особо затруднительной, поскольку он тут же понял, что нет никакой необходимости обуздывать свое прекрасное настроение, ведь игривые веселые речи делают смертельно больного человека особенно милым и трогательным.

Шутливым, легкомысленным тоном он болтал с Рамоном и его приятелем, рассказывал им о парке, который, как оказалось, был частью его личного пейзажа, о своей «подруге», он повторил это слово несколько раз; он рассказывал им обо всех этих статуях поэтов, художников, министров, королей.

— Видите, — говорил он, — Франция былых времен все еще жива!

Затем с очаровательной иронией он указал им на белые статуи знаменитых женщин Франции, королев, принцесс, регентш, воздвигнутых на высоких пьедесталах в полный рост, во всем своем величии; возвышаясь на расстоянии десяти-пятнадцати метров одна от другой, они вместе образовывали большую окружность, окаймляющую красивый водоем.

Чуть в отдалении шумными группами сбегались дети.

— Ах, дети! Слышите их крики? — улыбнулся Д'Ардело. — Сегодня у них праздник, забыл какой. Какой-то детский праздник.

Внезапно он насторожился:

— Что там такое происходит?

Появляются стреляющий
и писающий

По длинной аллее, ведущей от авеню Обсерватуар, по направлению к статуям знаменитых женщин Франции бежит усатый человек лет пятидесяти, одетый в старую, потрепанную куртку, с длинным охотничьим ружьем на плече. Он кричит и бурно жестикулирует. Прохожие останавливаются и смотрят на него с удивлением и сочувствием. Да-да, именно с сочувствием, потому что в этом усатом лице есть нечто такое безмятежное, что освежает атмосферу сада, который словно овевает идиллический ветерок былых времен. Он похож на деревенского соблазнителя, искателя приключений, который кажется особенно трогательным и милым, потому что уже состарился и остепенился. Покоренная его деревенским очарованием, мужественной добротой, всей его забавной наружностью, толпа посылает ему улыбки, и он отвечает на эти улыбки, довольный и любезный.

Затем он поднимает на бегу руку, указывая на одну из статуй. Проследив взглядами за его жестом, все замечают еще одного человека, очень старого, болезненно-бледного, с бородкой клинышком, который, желая скрыться от нескромных взглядов, прячется за пьедесталом знаменитой мраморной дамы.

— Смотрите, смотрите! — кричит охотник и, приладив на плечо ружье, стреляет в направлении статуи.

Это знаменитая Мария Медичи, королева Франции, со старым, толстым, неприятным, высокомерным лицом. Выстрелом у нее отбило нос, и от этого она кажется еще более старой, неприятной, толстой, высокомерной, а пожилой человек, пытавшийся спрятаться за пьедесталом, испуганно убегает и в конце концов, желая скрыться от нескромных взглядов, прячется за Валентину Миланскую, герцогиню Орлеанскую (она гораздо красивее).

Вначале люди приходят в недоумение из-за этого выстрела и лица Марии Медичи, лишенного носа; не зная, как реагировать, они оглядываются по сторонам, словно в поисках знака, который все им разъяснит: как истолковать поведение охотника? его надо порицать или одобрить? надо свистеть или аплодировать?

Словно догадываясь об их замешательстве, охотник восклицает:

— Писать в самом знаменитом французском парке запрещено!

Затем, оглядев свою небольшую аудиторию, громко хохочет, и смех его такой веселый, жизнерадостный, простодушный, искренний, братский и такой заразительный, что все вокруг тоже с облегчением начинают смеяться.

Старый человек с бородкой клинышком выходит из-за статуи Валентины Миланской, застегивая ширинку, лицо его выражает довольство и умиротворение.

Рамон не скрывает своего прекрасного настроения.

— Этот охотник вам никого не напоминает? — спрашивает он у Алена.

— Конечно напоминает. Шарля.

— Да. Шарль с нами. Это последний акт его театральной пьесы.

Торжество незначительности

Тем временем полсотни детей отделяют-
ся от толпы и выстраиваются полукругом,
словно собираясь петь хором. Ален направляется к ним, ему интересно узнать, что сейчас будет, а Д'Ардело говорит Рамону:

— Смотрите, как все замечательно орга-
низовано. Эти двое просто великолепны! Наверняка актеры без ангажемента. Безработ-
ные. Смотрите! Им не нужен театральный
помост. Аллей парка вполне достаточно. Они
не смирились. Они хотят действовать. Они
борются, чтобы выжить. — Затем вспоминает о собственной смертельной болезни и,
чтобы присутствующие не забыли о его тра-
гической судьбе, добавляет немного тише: —
Я тоже борюсь.

— Знаю, друг мой, и восхищаюсь вашим
мужеством, — говорит Рамон и, желая под-
держать его в несчастье, добавляет: —

Д'Ардело, я уже давно собирался вам кое-что сказать. О ценности незначительности. Я тогда еще хотел рассказать вам про Каклика. Это мой большой друг. Вы его не знаете. Ладно, это не важно. Сейчас незначительность предстает передо мной совершенно в другом свете, в более ярком свете, так сказать разоблачительном. Незначительность, друг мой, это самая суть существования. Она с нами всегда и везде. Она даже там, где никто не желает ее видеть: в ужасах, в кровавой борьбе, в самых страшных несчастьях. Чтобы распознать ее в столь драматических условиях и назвать собственным именем, порой необходимо мужество. Но надо не только ее распознать, необходимо ее полюбить, эту незначительность, да, надо научиться ее любить. И здесь, в этом парке, с нами, посмотрите, друг мой, она предстает во всей своей очевидности, во всем своем простодушии, во всей своей красоте. Да-да, именно красоте. Вы только что сами сказали: замечательная организация... и при этом совершенно бессмысленная, эти дети смеются... сами не знают почему. Разве это не прекрасно? Вдыхайте же, Д'Ардело, друг мой, вдыхайте эту незначительность, которая вокруг нас, она есть ключ к мудрости, ключ к хорошему настроению...

В этот самый момент в нескольких метрах от них усатый человек берет за плечи старика с бородкой и обращается к присутствующим торжественным тоном:

— Товарищи! Мой старый друг поклялся мне честью, что больше никогда не будет писать на знаменитых женщин Франции!

Он снова хохочет, люди аплодируют, кричат, и мать говорит:

— Ален, я так рада, что сейчас здесь, с тобой. — Потом начинает смеяться, и смех этот такой легкий, спокойный, мягкий.

— Ты смеешься? — удивляется Ален, ведь он впервые слышит смех матери.

— Да.

— Я тоже очень рад, — взволнованно говорит он.

Зато Д'Ардело не говорит ни слова, и Рамон понимает, что его похвальное слово незначительности не понравилось этому человеку, который более всего ценит серьезность великих истин; он решает подойти с другой стороны:

— Я видел вас вчера с Ла Франк. Вы оба так красивы.

Он внимательно смотрит на лицо Д'Ардело и понимает, что на этот раз его слова
понравились гораздо больше. Успех вдох-
новляет его, и тут же приходит желание со-
лгать, и эта ложь такая абсурдная и в то же
время восхитительная, что он решает пре-
поднести ее как подарок, подарок человеку,
которому осталось жить недолго:

— Но будьте осторожны, когда вас ви-
дят вдвоем, все слишком ясно!

— Ясно? Что ясно? — спрашивает
Д'Ардело с едва скрываемым удовольствием.

— Ясно, что вы любовники. Только не
отрицайте, я-то все понял. И не беспокой-
тесь, никто не умеет хранить тайны лучше
меня!

Д'Ардело смотрит прямо в глаза Рамона,
в которых, словно в зеркале, видит человека
смертельно больного и в то же время счаст-
ливого, друга известной женщины, к которой он никогда не прикасался, но при этом
неожиданно для себя стал ее тайным лю-
бовником.

— Дорогой мой, друг мой, — говорит
он, обнимая Рамона. И уходит с влажными
от слез глазами, но счастливый и довольный.

Детский хор уже выстроился безукоризненным полукругом, и дирижер, мальчик лет десяти, в смокинге и с палочкой в руке, готов дать сигнал к началу концерта.

Но ему приходится выждать несколько секунд, потому что со стороны аллеи с шумом приближается небольшая красно-желтая повозка, запряженная двумя пони. Усач в старой потрепанной куртке высоко вскидывает охотничье ружье. Мальчик-кучер повинуется знаку и останавливает коляску. Усач и старик с бородкой садятся в нее, в последний раз приветствуют восхищенную, размахивающую руками публику, и детский хор запевает Марсельезу.

Коляска трогается с места, по широкой аллее катится к воротам Люксембургского сада и медленно удаляется по парижским улицам.

Литературно-художественное издание

МИЛАН КУНДЕРА
ТОРЖЕСТВО НЕЗНАЧИТЕЛЬНОСТИ

Ответственный редактор Галина Соловьева
Редактор Дарья Мудролюбова
Художественный редактор Вадим Пожидаев
Технический редактор Татьяна Раткевич
Компьютерная верстка Ольги Варламовой
Корректоры Татьяна Бородулина, Анна Быстрова

Главный редактор Александр Жикаренцев

Подписано в печать 04.05.2016. Формат издания 70 × 90 ¹/₃₂.
Печать офсетная. Тираж 7000 экз. Усл. печ. л. 7. Заказ № 8967/16.

Знак информационной продукции
(Федеральный закон № 436-ФЗ от 29.12.2010 г.):   16+

ООО «Издательская Группа „Азбука-Аттикус"» —
обладатель товарного знака АЗБУКА®
119334, г. Москва, 5-й Донской проезд, д. 15, стр. 4

Филиал ООО «Издательская Группа „Азбука-Аттикус"»
в Санкт-Петербурге
191123, г. Санкт-Петербург, Воскресенская наб., д. 12, лит. А

ЧП «Издательство „Махаон-Украина"»
04073, г. Киев, Московский пр., д. 6 (2-й этаж)

Отпечатано в соответствии с предоставленными материалами
в ООО «ИПК Парето-Принт». 170546, Тверская область,
Промышленная зона Боровлево-1, комплекс № 3А.
www.pareto-print.ru

ПО ВОПРОСАМ РАСПРОСТРАНЕНИЯ ОБРАЩАЙТЕСЬ:

В Москве: ООО «Издательская Группа „Азбука-Аттикус"»
Тел.: (495) 933-76-01, факс: (495) 933-76-19
E-mail: sales@atticus-group.ru; info@azbooka-m.ru

В Санкт-Петербурге:
Филиал ООО «Издательская Группа „Азбука-Аттикус"»
Тел.: (812) 327-04-55, факс: (812) 327-01-60. E-mail: trade@azbooka.spb.ru
В Киеве: ЧП «Издательство „Махаон-Украина"»
Тел./факс: (044) 490-99-01. E-mail: sale@machaon.kiev.ua

Информация о новинках и планах
на сайтах: www.azbooka.ru, www.atticus-group.ru

Информация по вопросам приема рукописей и творческого
сотрудничества размещена по адресу: www.azbooka.ru/new_authors/

YMBA1881601R